CONT...

REFERENCE

Motorway	M4	Car Park	selected	P
A Road	A470	Church or Chapel		†
Under Construction		Cycleway	selected	
B Road	B4275	Fire Station		■
Dual Carriageway		Hospital		H
One Way Street	→	House Numbers	A & B Roads only	13 8
Traffic flow on A Roads is also indicated by a heavy line on the driver's left.	→	Information Centre		i
Restricted Access		National Grid Reference		³20
Pedestrianized Road		Police Station		▲
Track / Footpath		Post Office		★
Residential Walkway		Toilet: without facilities for the Disabled		▽
		with facilities for the Disabled		▽
Railway	Heritage Station Station Tunnel Level Crossing	Viewpoint		⁕ ☀
Built Up Area	MARY ST	Educational Establishment		
		Hospital or Hospice		
Local Authority Boundary		Industrial Building		
National Park Boundary		Leisure or Recreational Facility		
Posttown Boundary		Place of Interest		
Postcode Boundary	within Posttown	Public Building		
		Shopping Centre or Market		
Map Continuation	32	Other Selected Buildings		

SCALE: 1:15,840 4 inches (10.16 cm) to 1 mile, 6.31 cm to 1 kilometre

```
0            ¼            ½            ¾          1 Mile
0      250        500        750      1 Kilometre
```

Copyright of Geographers' A-Z Map Company Limited

Head Office:
Fairfield Road, Borough Green, Sevenoaks, Kent TN15 8PP
Telephone: 01732 781000 (General Enquiries & Trade Sales)
01732 783422 (Retail Sales)
www.a-zmaps.co.uk

Ordnance Survey® This product includes mapping data licensed from Ordnance Survey® with the permission of the Controller of Her Majesty's Stationery Office.

Copyright © Geographers' A-Z Map Co. Ltd.   Edition 1 2003   Edition 1a 2005 (part revision)

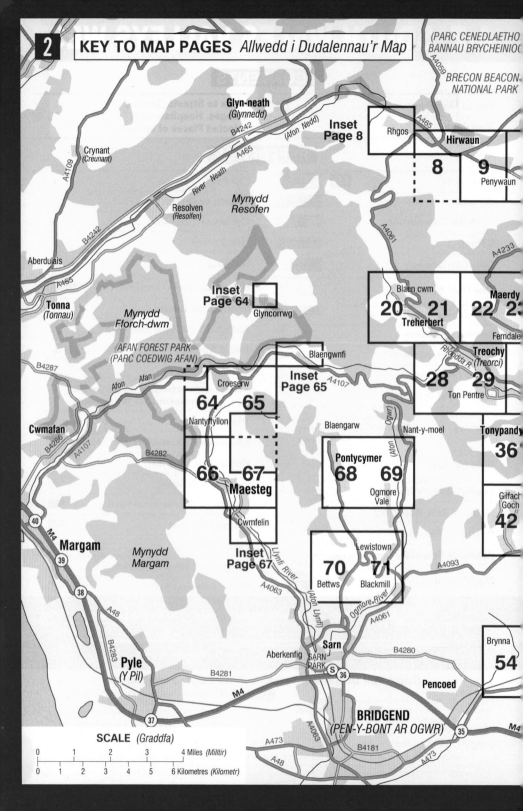

2

KEY TO MAP PAGES *Allwedd i Dudalennau'r Map*

(PARC CENEDLAETHO
BANNAU BRYCHEINIO(

BRECON BEACON
NATIONAL PARK

A4059

Glyn-neath
(Glynnedd)

B4242

(Afon Nedd)

A465

Inset
Page 8

Rhgos

A465

Hirwaun

8

9

Penywaun

Crynant
(Creunant)

A4109

River Neath

Mynydd
Resofen

Resolven
(Resolfen)

B4242

A4061

A4233

Aberdulais

A465

Inset
Page 64

Glyncorrwg

Blaen cwm

Maerdy

Tonna
(Tonnau)

Mynydd
Fforch-dwm

20 **21**

Treherbert

22 **23**

Ferndale

B4287

AFAN FOREST PARK
(PARC COEDWIG AFAN)

Afon   Afon

Blaengwnfi

Inset
Page 65

A4107

Rhondda R

Treochy
(Treorci)

28

29

Croeserw

Ton Pentre

Cwmafan

64 **65**

Nantyffyllon

Blaengarw

Nant-y-moel

Tonypandy

B4286

A4107

B4282

66 **67**

Maesteg

Pontycymer

68 **69**

Ogmore
Vale

36

40

M4

Cwmfelin

Inset
Page 67

Llynfi River

70 **71**

Lewistown

Gilfach
Goch

42

Margam

39

Mynydd
Margam

A4063

Afon Llynfi

Bettws

Blackmill

A4093

38

A48

B4283

Ogmore River

A4061

Brynna

54

Pyle
(Y Pil)

B4281

Aberkenfig

Sarn

SARN
PARK

B4280

37

M4

S

36

Pencoed

35

M4

A4063

BRIDGEND
(PEN-Y-BONT AR OGWR)

A473

A48

B4181

A473

SCALE *(Graddfa)*

0	1	2	3	4 Miles *(Milltir)*

| 0 | 1 | 2 | 3 | 4 | 5 | 6 Kilometres *(Kilometr)* |

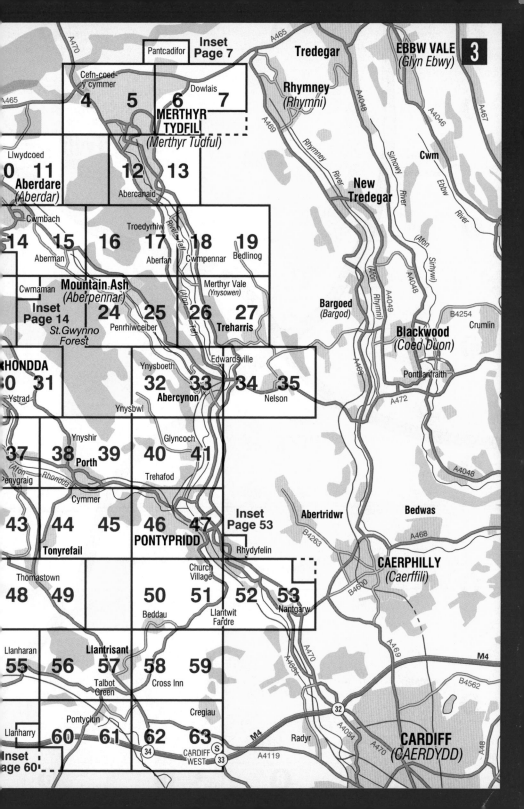

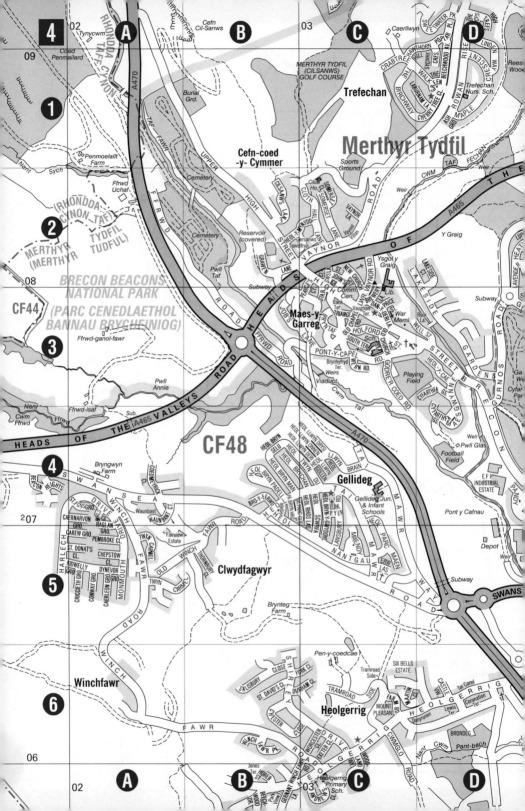

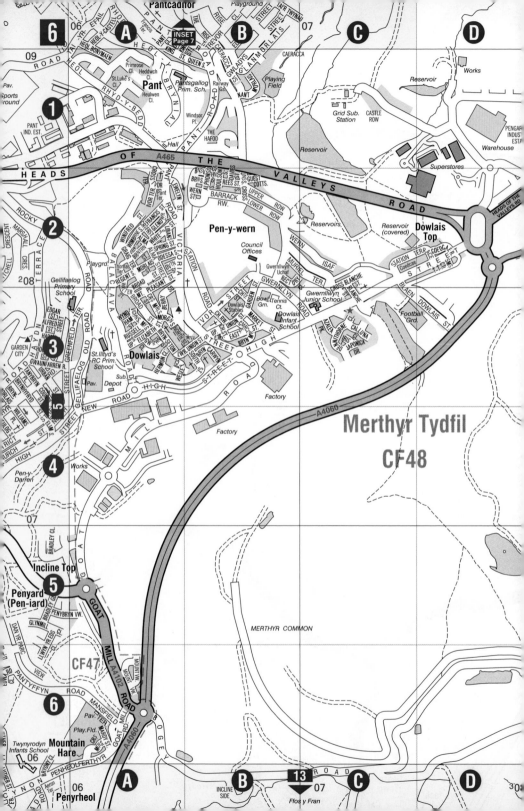

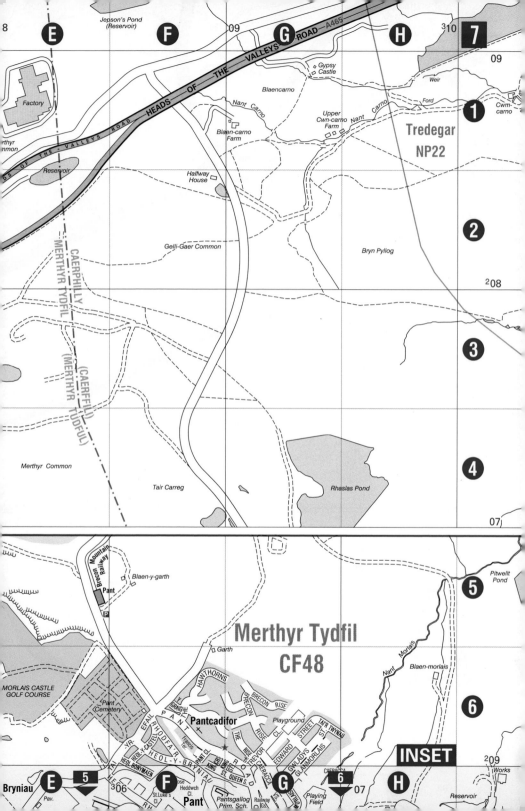

E **F** 09 **G** **H** 310 **7**

8
09

Jepson's Pond
(Reservoir)

HEADS OF THE VALLEYS ROAD—A465

Gypsy
Castle

Blaencarno

Nant Carno

Blaen-carno
Farm

Upper
Cwn-carno
Farm

Nant Carno

Weir

Ford

Cwm-
carno

**Tredegar
NP22**

Factory

Merthyr
Common

Reservoir

Halfway
House

1

Gelli-Gaer Common

Bryn Pyllog

2

²08

CAERPHILLY / MERTHYR TYDFIL

3

(CAERFFILI) (MERTHYR TYDFIL)

Merthyr Common

Tair Carreg

Rhaslas Pond

4

07'

Brecon Mountain Railway

Blaen-y-garth

Pant

P

Pitwellt
Pond

5

Garth

**Merthyr Tydfil
CF48**

Nant Morlais

Blaen-morlais

MORLAIS CASTLE
GOLF COURSE

Pant
Cemetery

HAWTHORNS

BRECON RISE

Playground

BRECON RISE CL.

TAFF TWYNAU

6

YR EFAIL

RHODFA'R-BRYNIAU

THE RISE

TREVOR ST

EDWARD STREET

GWLADYS STREET

GLANMORLAIS

CAERACCA

Pantcadifor

HEOL-Y-CASTELL

HEOL-Y-BRYNIAU

HEOL BONYMAEN

PANT CL.

KING ST

QUEEN ST

THE ROAD

CAERACCA

ST JOHN

INSET

²09

Works

Bryniau **E** **5** **F** **G** **6** **H**

Pav.

³06

Close
Heddwch
Cl.

Pant

St.Luke's
Cl.

Pantsgallog
Prim. Sch.

Railway
Ter.

Playing
Field

07'

Reservoir

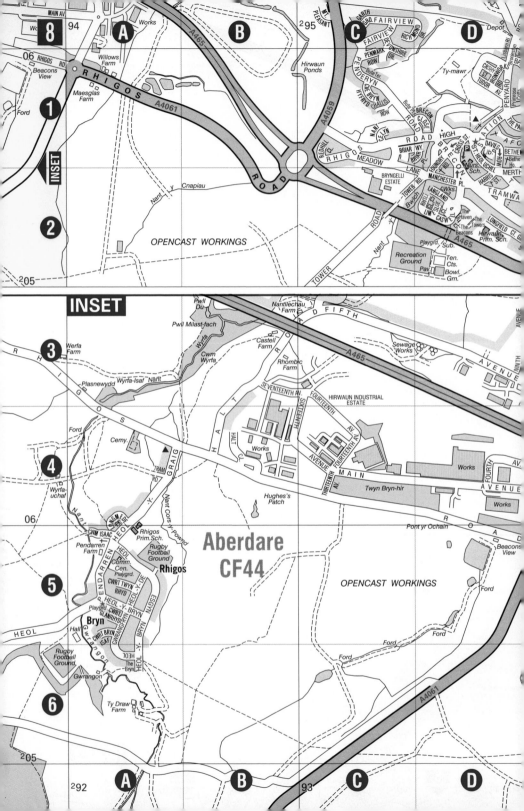

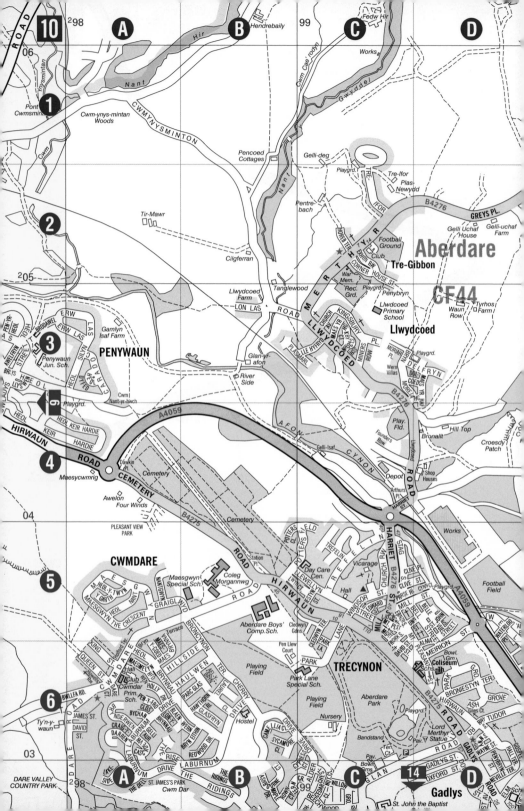

E **F** Fothergill's Patches 01 **G** **H** 02 **11**

MERTHYR TYDFIL
RHONDDA CYNON TAFF

B4276 ROAD

Dyllas Farm

CF48

MYNYDD
ABERDAR

Nant y Derlwyn

WAUN Y GWAIR

(MERTHYR TUDFUL)
(RHONDDA CYNON TAF)

1

Un-defad Patch

TWYN DDISGWYLFA

Dyllas Cottage

Carn Buarth-maen

Tir Ergyd Bungalow

Cerrig Doun

Carn Pentyle-hir

2

PANT Y FFALD

Cefn y Garn

²05

Tir-ergyd

Bryn Pica

Nant Y Derlwyn

Bryn-Mawr

3

Blaen-nant

4

Wenallt

04

Coed Cae Farm

Nant y

Cwm-Blaen-nant

Ysguborwen House

Gwrhyd

Nant y Geulgarn

5

Little Row

Moss Pl.

Tennis Ct.

MOSS ROW

Court Vean
Alltfedw

LANE

Werfa House

Ysgubor-wen Farm

Nursery Sch.

Playgrd.

WERFA
Werfa Cl.

Nant

Rhiw
PANT-YR-EOS

Robertstown

PHILIP ST.

GREENWAYS

THOMAS

BRIDGE ST.

Playing Field

Terrace R.
Windsor

Terrace

HEOL-Y-PANT

Evans Row

Richmond
Terrace

Abernant Prim. Sch.

Playgrd.

6

HURST GRO.

Office Houses

THE NANT

FORGE PL.

GOLF

Playing Field

ABERDARE
GOLF COURSE

**ABERDARE
GENERAL
HOSPITAL**

ROBERTSTOWN
IND. EST.

FOTHERGILL ST.

VW. WENALLT

Alltwen

RD.

Playgrd.

Club House

Reservoir (covered)

03

aes-y-dre

E

14

F

ALEXANDRA TER.

Abernant

G

15

Ty-draw Place

H

02

STREET

HALL ST. GLOUCESTER

GLOUCESTER PL.

Aberdare

Aberdare Girls

Comp. Sch.

RAW PL.

01

WALK

ROAD

Cwm y Felin newydd

Crichton Farm

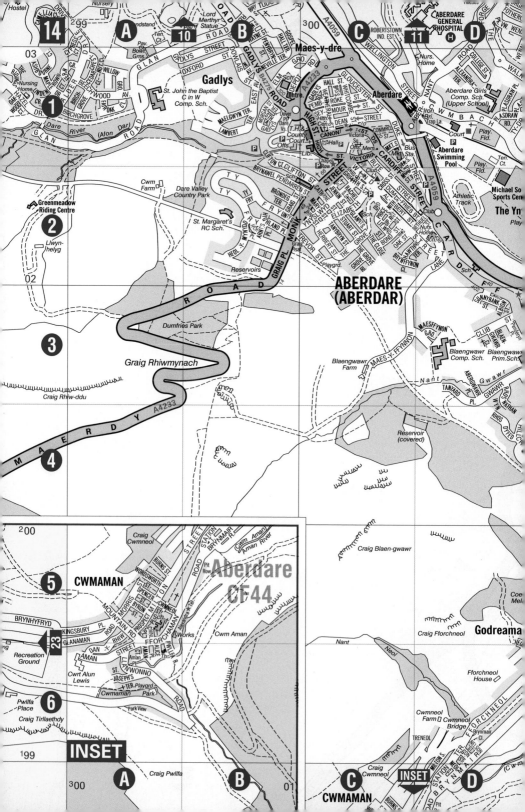

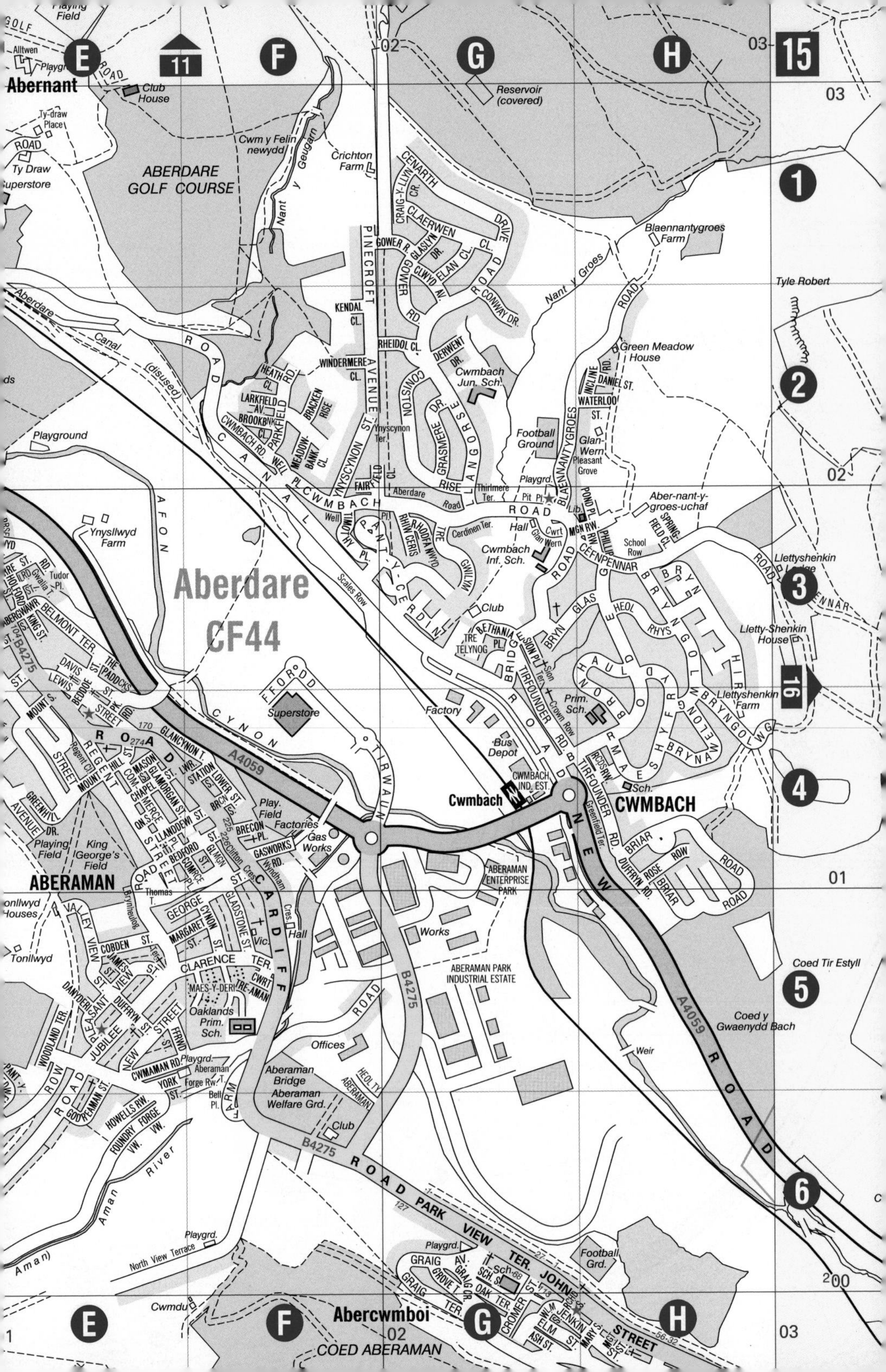

15
11
16
E
F
G
H
1
2
3
4
5
6
02
03
01
Abernant
Alltwen
Club House
Ty-draw Place
Ty Draw
Superstore
ABERDARE GOLF COURSE
Cwm y Felin newydd
Nant y Geugarn
Crichton Farm
Reservoir (covered)
Blaennantygroes Farm
Tyle Robert
Nant y Groes
Green Meadow House
Aberdare Canal (disused)
Playground
Ynysllwyd Farm
AFON
Aberdare
CF44
Cwmbach Jun. Sch.
Football Ground
Glan-Wern
Pleasant Grove
Aber-nant-y-groes-uchaf
School Row
Llettyshenkin Lodge
Letty-Shenkin House
Llettyshenkin Farm
Cwmbach Inf. Sch.
Club
Scales Row
Superstore
Factory
Bus Depot
CWMBACH IND. EST.
Cwmbach
CWMBACH
Prim. Sch.
A4059
CYNON
TIRWAUN
Play. Field
Factories
Gas Works
ABERAMAN ENTERPRISE PARK
Works
ABERAMAN PARK INDUSTRIAL ESTATE
Offices
Aberaman Bridge
Aberaman Welfare Grd.
Club
B4275
ABERAMAN
King George's Field
Playing Field
Tonllwyd Houses
Tonllwyd
Oaklands Prim. Sch.
Playgrd.
Aberaman Forge Rw.
Aman River
Aman
North View Terrace
Cwmdu
Abercwmboi
COED ABERAMAN
Football Grd.
Weir
Coed Tir Estyll
Coed y Gwaenydd Bach
CARDIFF ROAD
NEW ROAD
PARK VIEW TER.
JOHN STREET
Greenfield Ter.

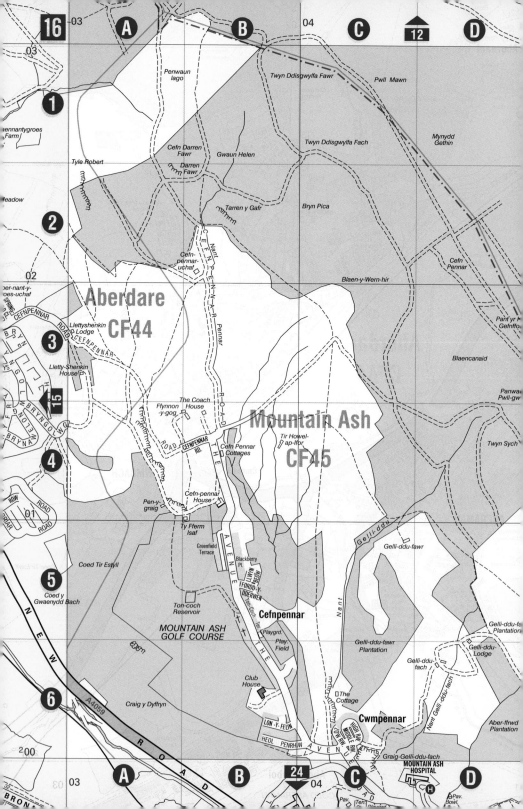

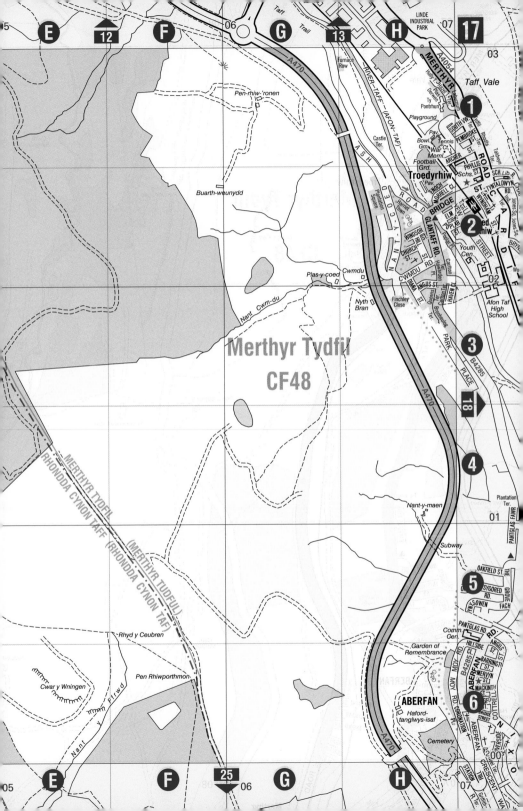

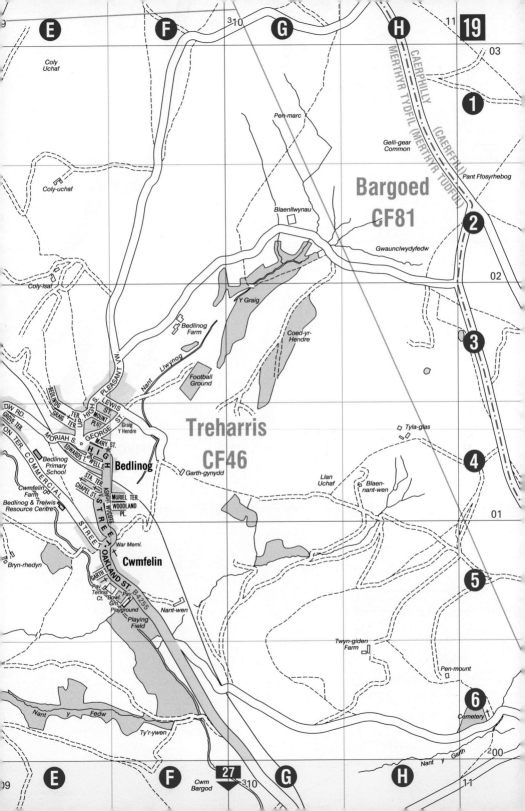

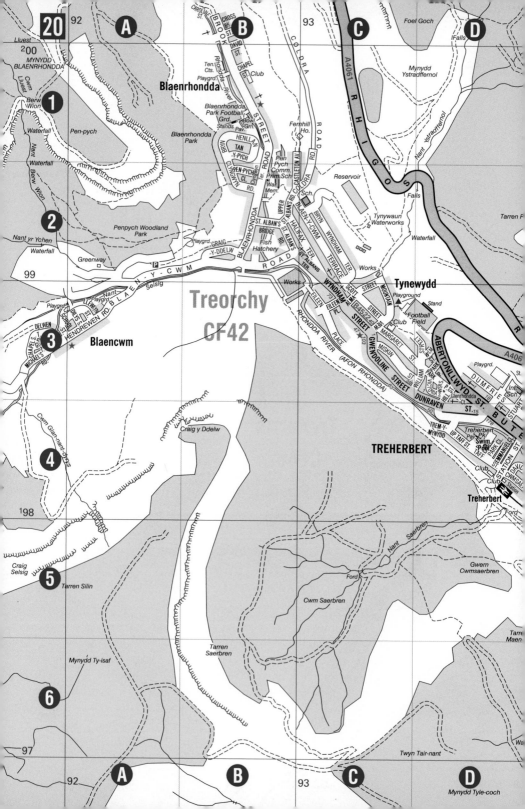

96 Nant y Gawrnant
200

Weirs
Castell Nos
Castell y Mawn
97

A　　**B**　　**C**　　**D**

Bryn Du

Picnic Site

Bedd Eiddil

Ford

1

Cross Dyke
P

Carn Eiddil

Twyn Croesffordd

AFON RHONDDA FACH

A4233

2

Reservoir

99

Craig yr Aber

Water Works

Factory

3

Reservoir (covered)

ROAD

RINGFIELD

CYNNOS

WRIGHT

NORTH

PARK

Maerdy Park Pav.
Library
Bowl. Grn. Ten Cts.
Mem.

BROWYDD

WOOD

JAMES

GRIFFITH

ST.

RD.

EDWARD

PARK

Craig Amos

Maerdy Farm

A4233

STATION

ROAD

MAERDY

21

INSTITUTE
Club

TERRACE

CRD/WEN

OXFORD

ST.

SUNNY

STREET

THOMAS

ST.

CHURCH

HILL

4

Waterfall

Nant Cwm-gau

198

Bus Sch. Depot

Tanks

WILSON
PL.

SCHOOL

PENTRE RD.

BROOK

Rowley T.

ST.

Grand Stand
Football Grd.

57

Maerdy

Hall

ME ST.

RICHARD ROAD

Royal Carts.

HEOL

GLYN CO

MAES

Maerdy Junior School

TAN Y BRY

Treorchy
CF42

Moel Uchaf

Mynydd Maerdy

CEFN Y RHONDDA

5

Treorchy Cemetery

The Lodge

Nant Tyle-du

Nant Coly

6

BRYN
RHODFA

HEOL TYLE-DU

GLYNCOLI
CL.

Glyncoli

Garswood

TREORCHY
(TREORCI)

96

97

Hall

CADWGAN RD.

COLUMN

STREET

BUTE ST.

GLYNCOLI CHAPEL

PROSPECT

SCHOOL

TYNYRE

ST.

A　　　**B**　　　**29**　　**C**　　　**D**
97

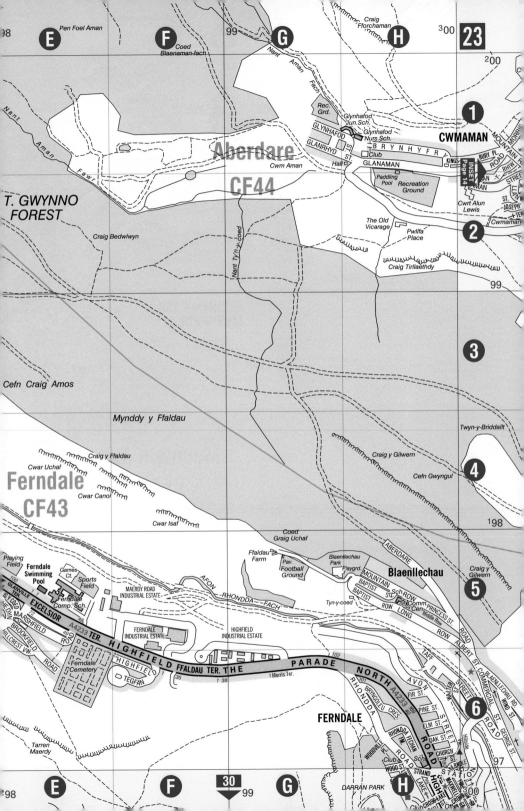

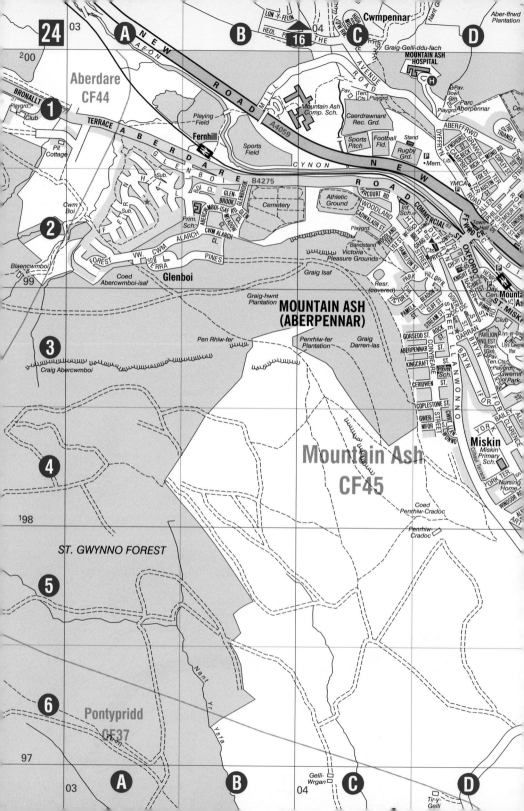

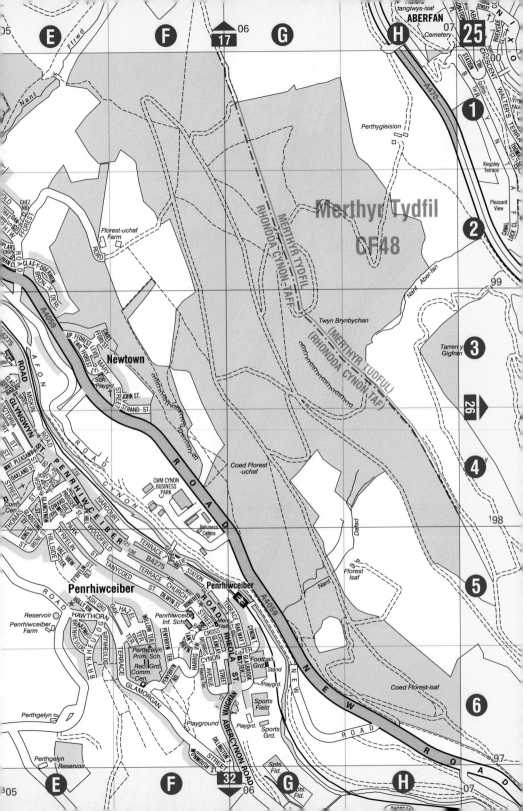

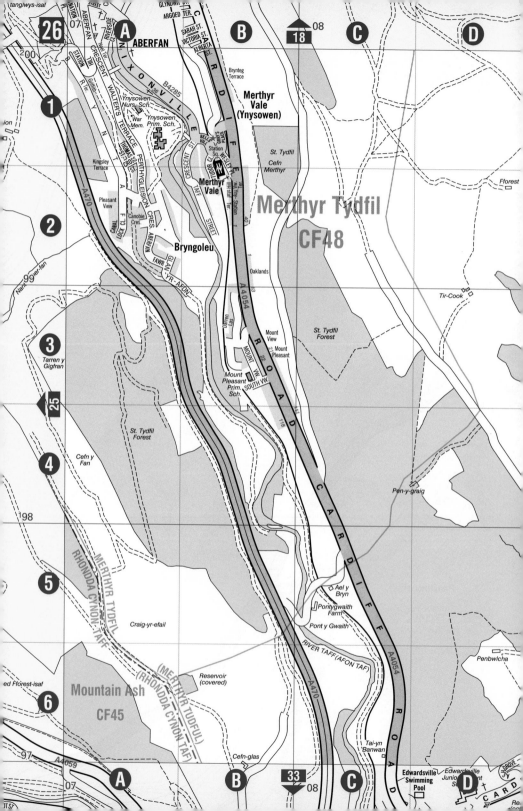

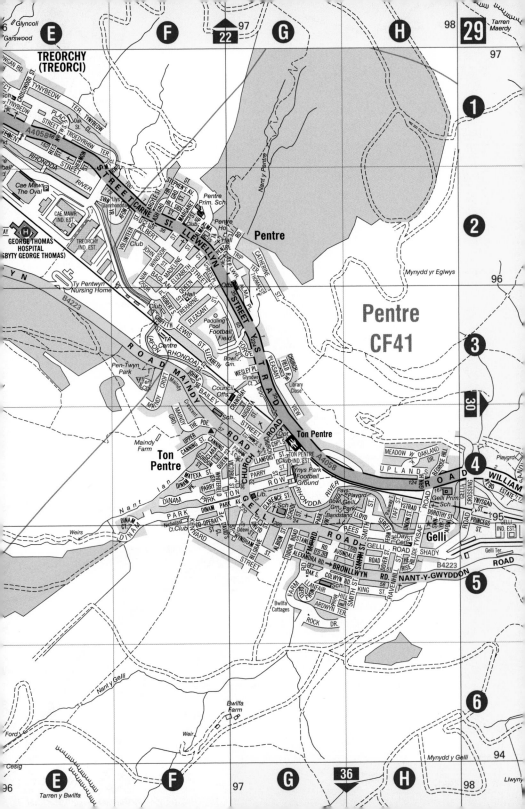

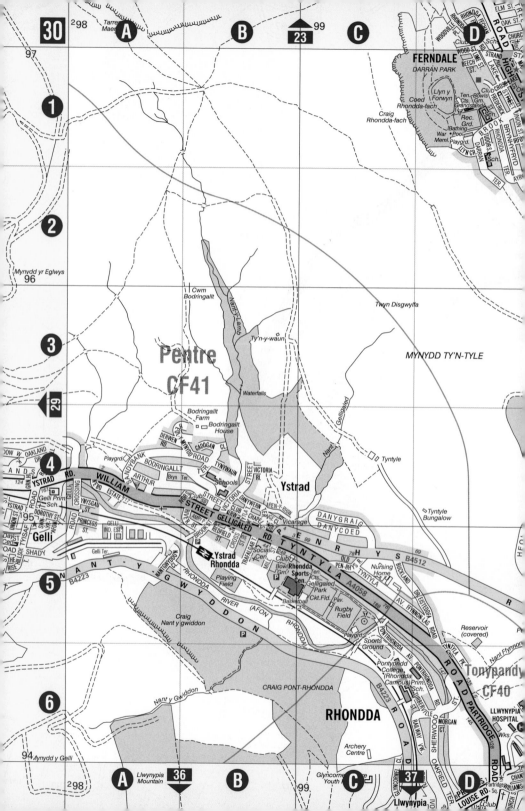

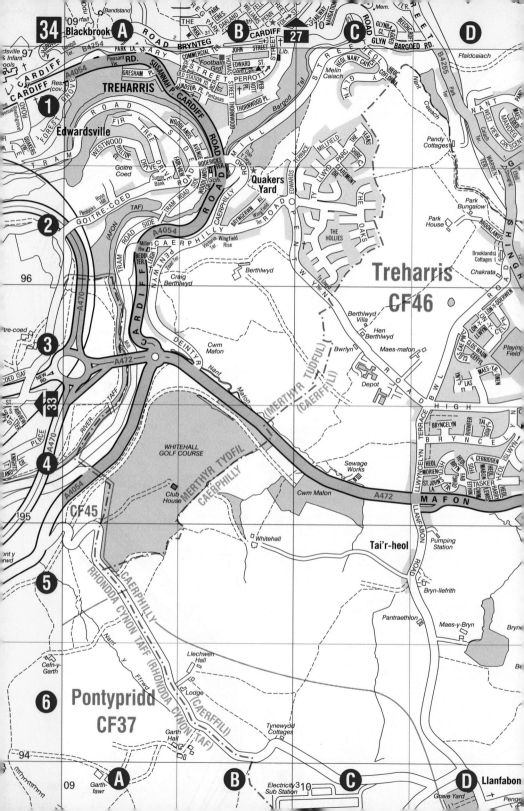

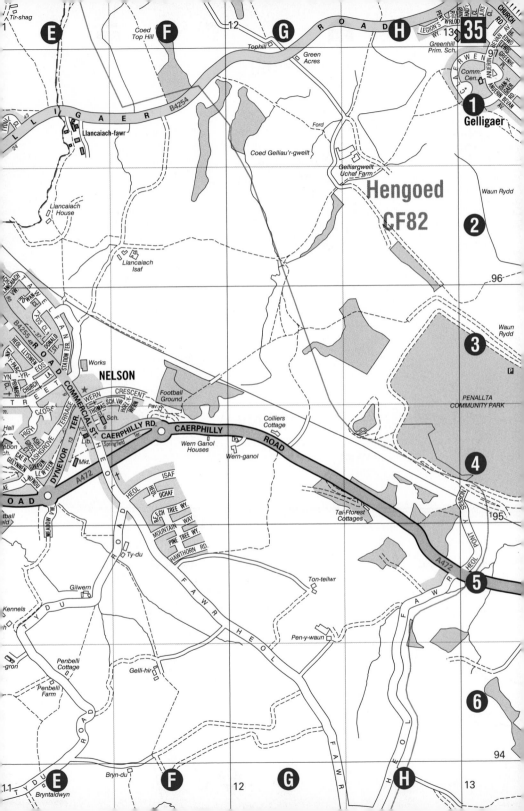

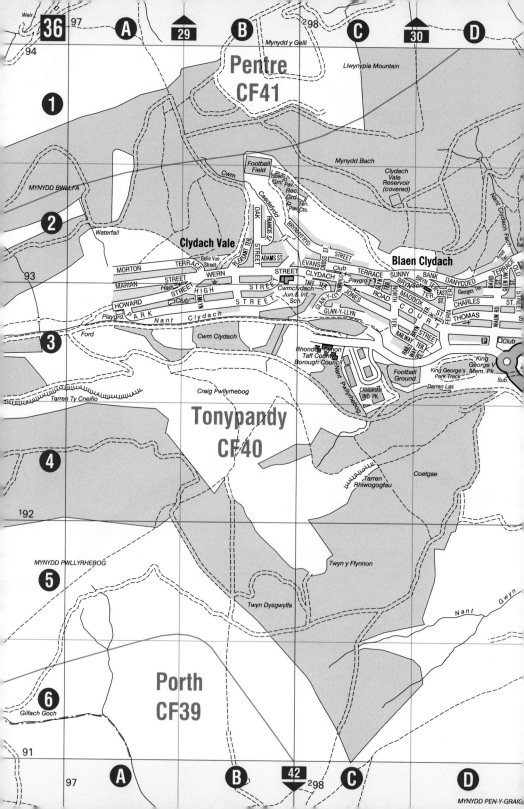

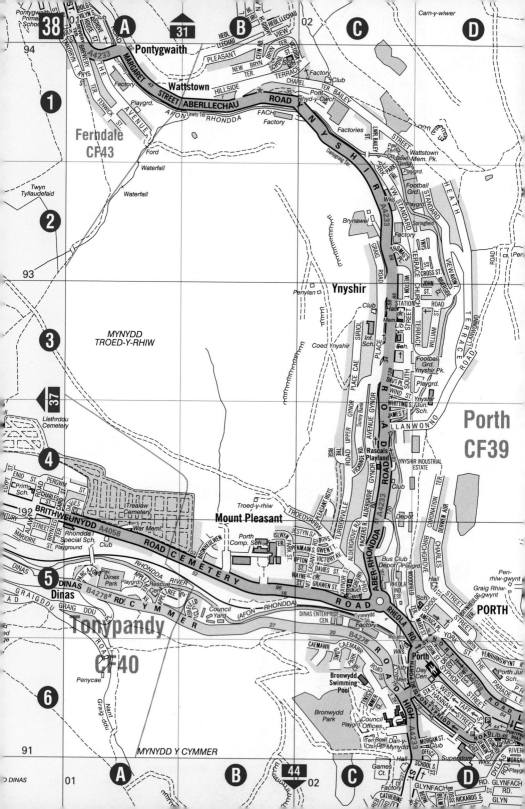

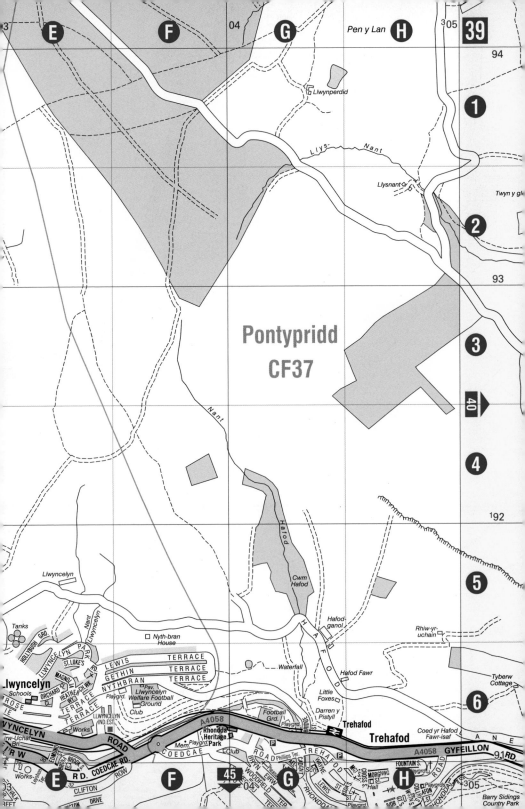

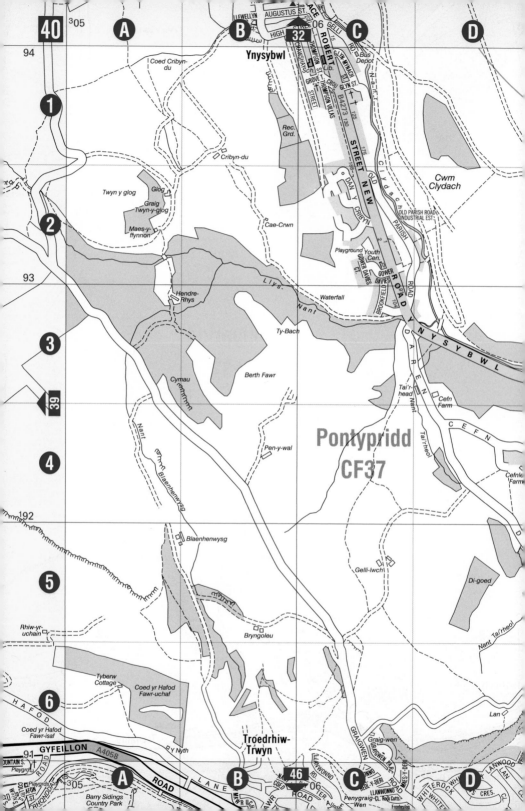

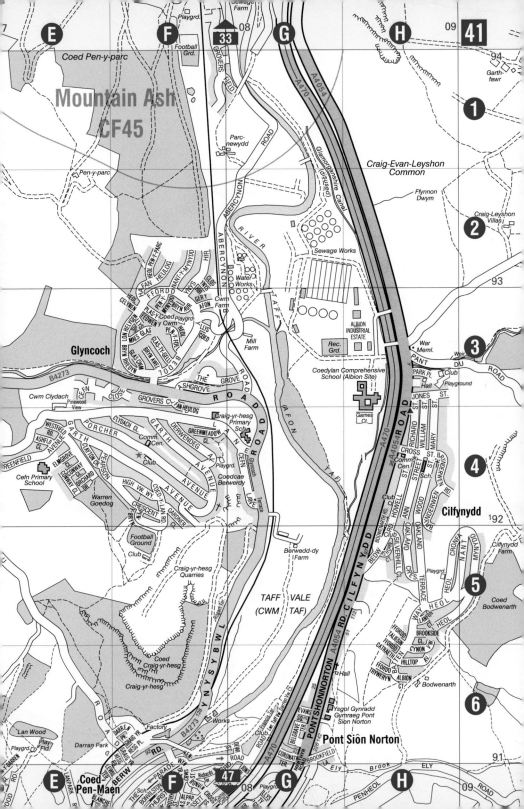

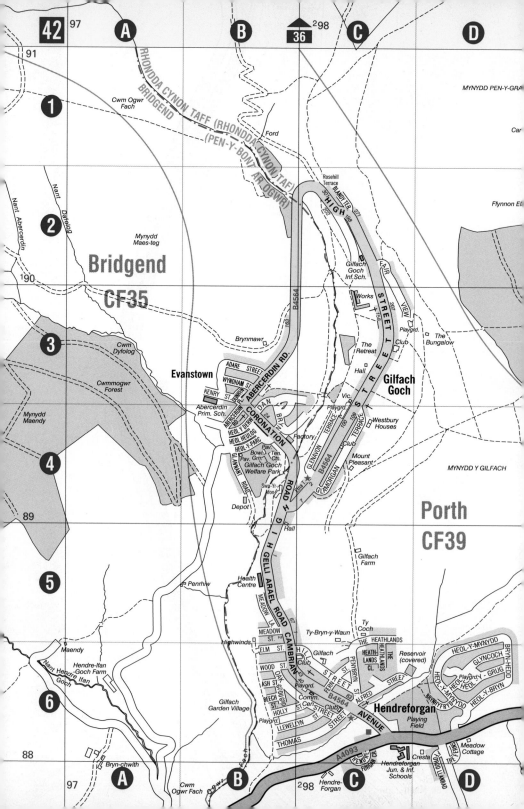

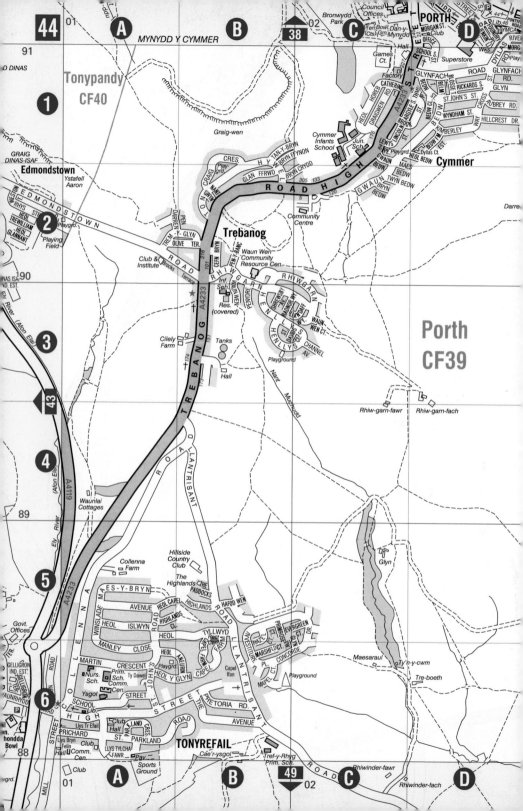

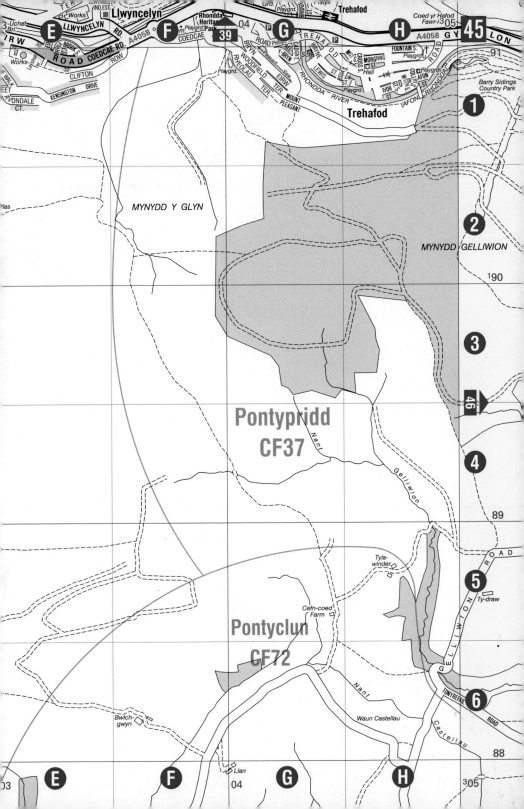

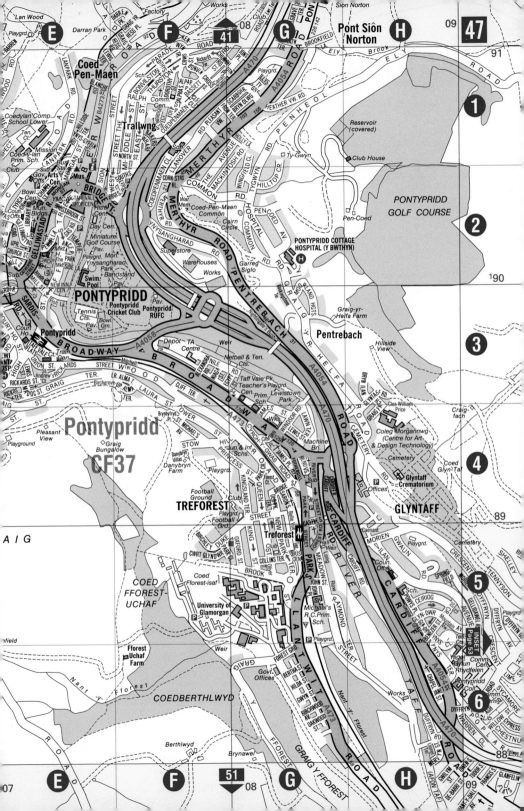

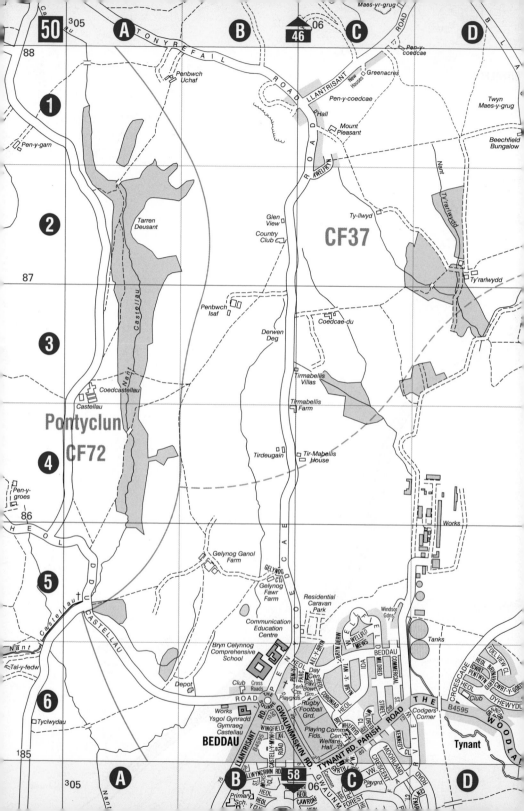

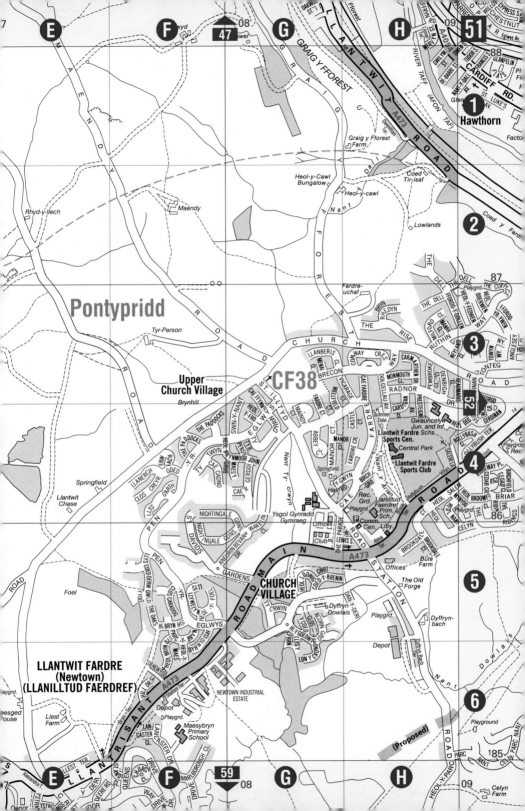

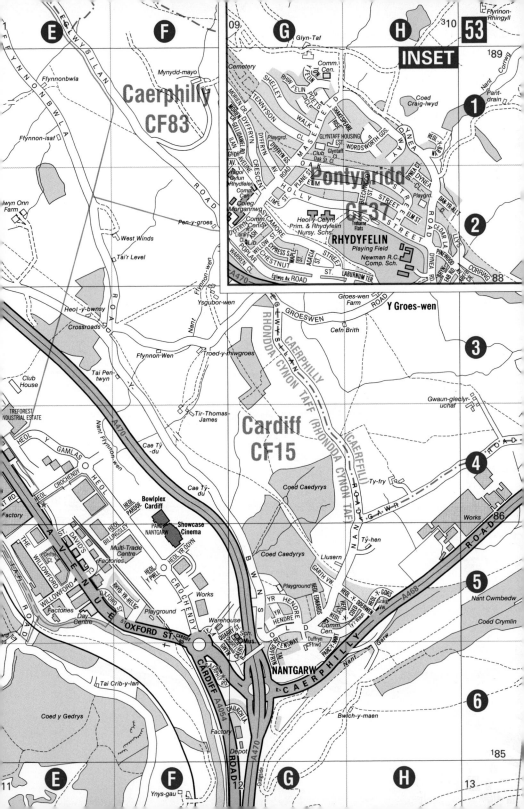

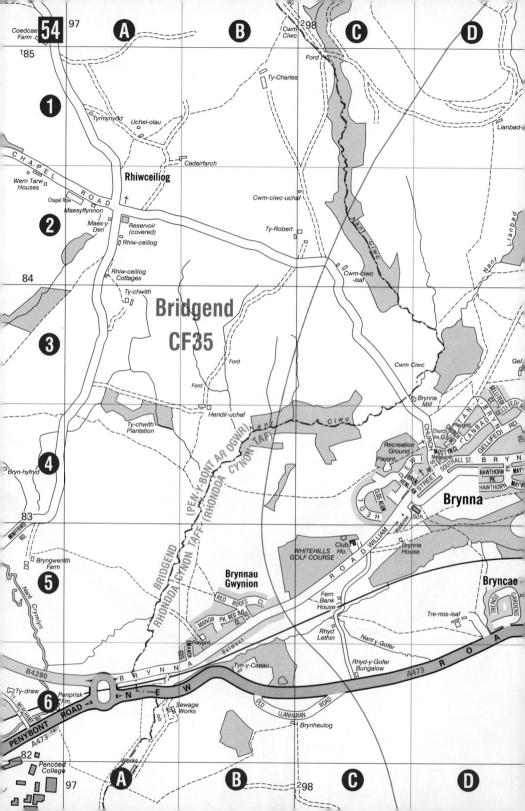

ELY

A4119

VALLEY

Works

185

1

P

Nant Cwm-du

MYNYDD MEIROS

MYNYDD GARTHMAELWG

2

84

dd Meiros

3

ros

55

Coed-Cae
Farm

Graig-lwyd

4

lanharan
House

CRAIG MELYN

Garth-uchaf

Pistyll-arian

Garth-isaf
Farm

83

A473

The
Kennels

Neuadd
Wen

5

Nantlais

Works

Fe

Coed-cae-bach

ad-y-bryn

J

R

E

E

N

C

A

P

6

Hendre
Owen

Sewage
Works

COEDCAE LANE
INDUSTRIAL ESTATE

Nant Melyn

82

Nant Graean

COED TRECASTELL

Cwm

Pentglas

Mynydd
Garthmaelwg

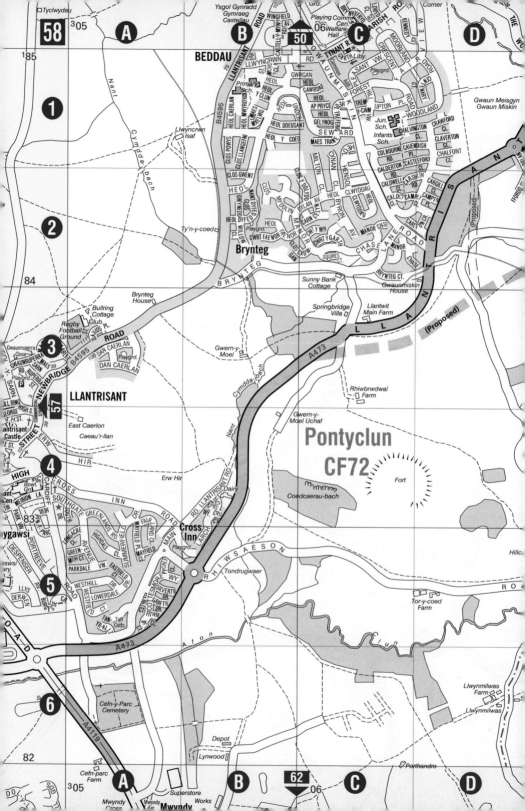

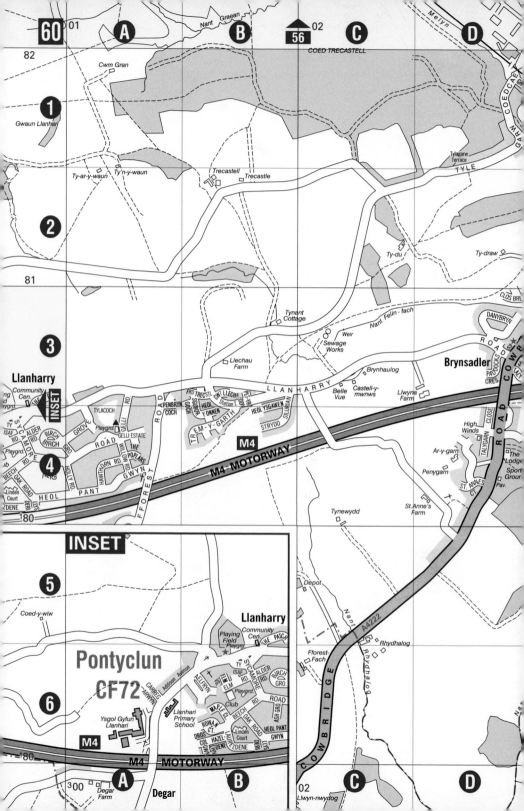

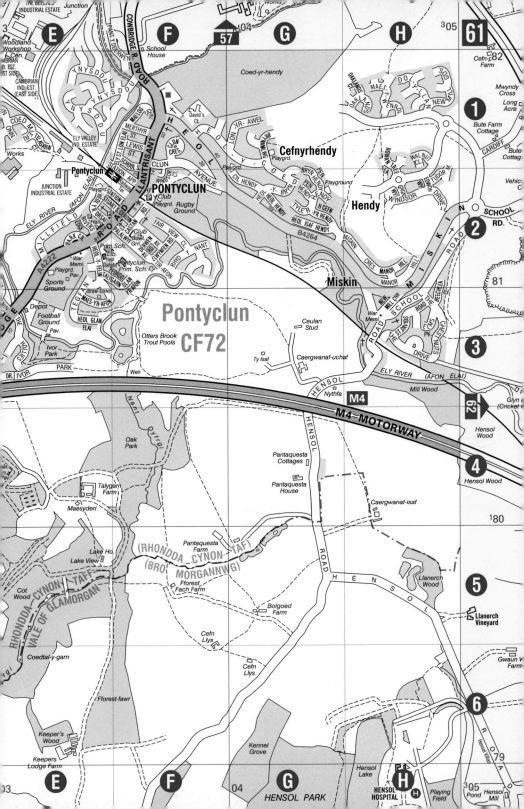

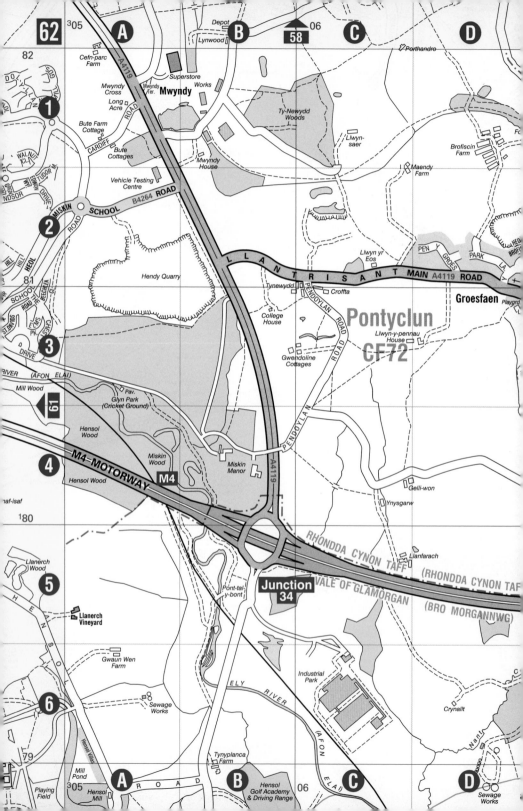

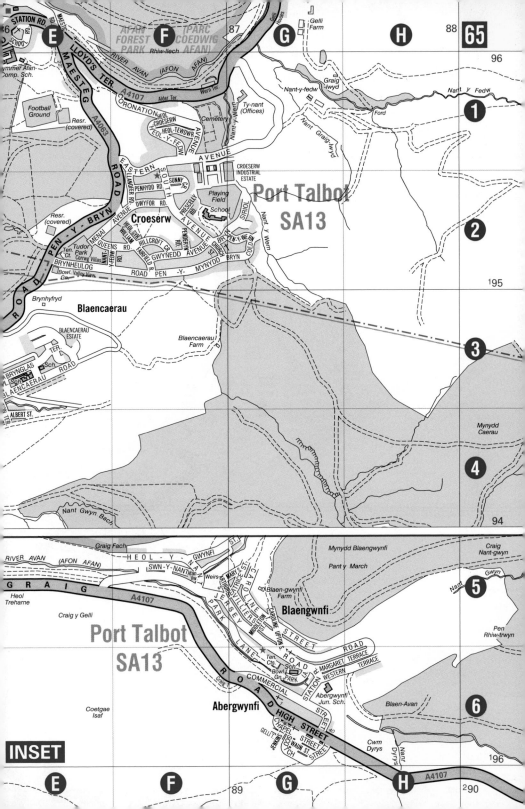

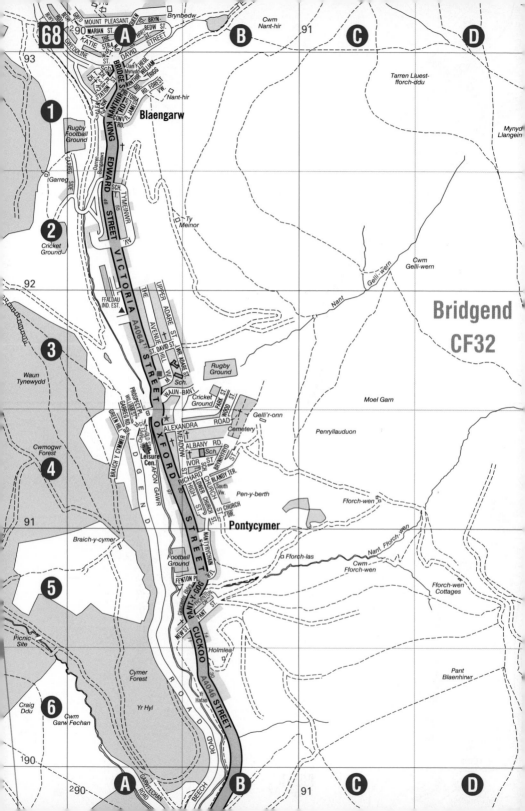

68

Bridgend
CF32

Blaengarw

Pontycymer

MOUNT PLEASANT
Brynbedw
Cwm Nant-hir
Cwm Nant-hir
Cwm Gelli-wern
Gelli-wern
Tarren Lluest-fforch-ddu
Mynyd Llangein
Moel Garn
Penryllauduon
Pen-y-berth
Fforch-wen
Nant Fforch-wen
Cwm Fforch-wen
Fforch-wen Cottages
Pant Blaenhirwr
Fforch-las
Gelli'r-onn
Rugby Ground
Cricket Ground
Cemetery
Nant
Rugby Football Ground
Garreg
Cricket Ground
Waun Tynewydd
Cwmogwr Forest
Braich-y-cymer
Picnic Site
Craig Ddu
Cwm Garw Fechan
Yr Hyl
Cymer Forest
Holmlea
Yr Hafan
Leisure Cen.
Football Ground
Ty Meinor
Nant-hir
Ffaldau Ind. Est.

KING EDWARD STREET
VICTORIA STREET
OXFORD STREET
CUCKOO STREET
A4046 STREET
A4064
NANTYMOEL RD
BRIDGE ST
PRETORIA RD
FOREST RD
DARRENLWYD
BRYN ST
BEDW ST
DAVID STREET
QUEEN
MARIAN ST
KATIE
GWELDOLINE
THE STRAND
CH T
P S
STATION
NANT-Y-HECH
GARREG SIDE
PROSPECT PL
WILLIAM ST
CAE GARREG RD
GREEN HILL
BRAICH CT
CAE RHYW
AFON GAWR
ALEXANDRA
MEADOW
ALBANY RD
IVOR ST
RICHARD ST
BLANDY TER
HIGH ST
LOWER CHURCH ST
CHURCH DR
CHURCH ST
BRYNFFRYD
PARK ST
WOOD ST
ROAD
WAUN-BANT
UPPER ADARE ST
LWR ADARE ST
ST DAVID ST
BRYNHYFRYD
TY HEN
AVENUE
HILL
THE
PANT-Y-GOG
NANTYRYCHAN
FENTON PL
THORNTON
PANT ST
NEW ST
South Vw.
South Vw.
Dan-y-heol
Mynydd
Nanthir
William
Trigg
V.W.
CONVL
IANWEL
RD

90
290
290
190
91
92
93
91
91

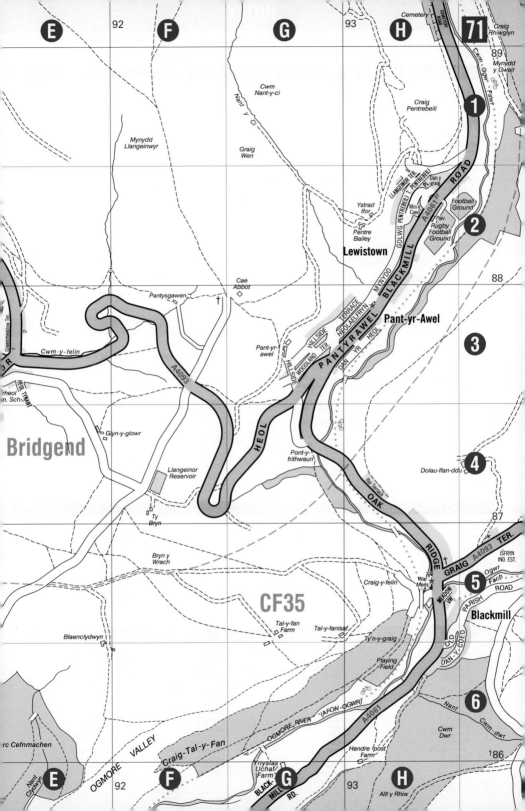

INDEX

Including Streets, Places & Areas, Hospitals & Hospices, Industrial Estates,
Selected Flats & Walkways, Stations and Selected Places of Interest.

HOW TO USE THIS INDEX

1. Each street name is followed by its Postcode District and then by its Locality abbreviation(s) and then by its map reference;
   e.g. **Abercerdin Rd.** CF39: Evan . . . .*4B* **42** is in the CF39 Postcode District and the Evanstown Locality and is to be found in square **4B** on page **42**.
   The page number is shown in bold type.

2. A strict alphabetical order is followed in which Av., Rd., St., etc. (though abbreviated) are read in full and as part of the street name;
   e.g. **Ash Cres.** appears after **Ashbourne Ct.** but before **Ashdale Rd.**

3. Streets and a selection of flats and walkways too small to be shown on the maps, appear in the index with the thoroughfare to which it is connected shown
   in brackets; e.g. **Alexandra Ter.** *CF47: M Tydfil. . . .1C* **12** *(off Twynyrodyn Rd.)*

4. Addresses that are in more than one part are referred to as not continuous.

5. Places and areas are shown in the index in **BLUE TYPE** and the map reference is to the actual map square in which the town centre or area is located and
   not to the place name shown on the map; e.g. **ABERAMAN. . . . 4E 15**

6. An example of a selected place of interest is Cyfarthfa Castle & Mus. 4E 5

7. An example of a station is **Aberdare Station (Rail) 1C 14**

8. An example of a hospital or hospice is ABERDARE GENERAL HOSPITAL. . . . 6F 11

MYNEGAI

Yn cynnwys Strydoedd, Lleoedd ac Ardaloedd, Ysbytai a Hosbisys, Stadau Diwydiannol,
Fflatiau a Llwybrau Troed dethol, Gorsafoedd a Detholiad o Fannau Diddorol.

SUD I DDEFNYDDIO'R MYNEGAI HWN

1. Dilynir pob enw stryd gan ei Ardal Cod Post ac wedyn gan fyrfodd(au) ei Leoliad ac wedyn gan ei gyfeirnod map;
   e.e. Mae **Abercerdin Rd.** CF39: Evan . . . .*4B* **42** yn Ardal Cod Post CF39 a Lleoliad Evanstown a gellir dod o hyd iddi yn sgwâr 4B ar dudalen **42**.
   Dangosir Rhif y Dudalen mewn teip trwm.

2. Glynir yn gaeth wrth drefn y wyddor, gyda Av., Rd., St., ayb (er eu bod wedi eu talfyrru) yn cael eu darllen yn llawn ac fel rhan o enw'r stryd;
   e.e. mae **Ash Cres.** yn ymddangos ar ôl **Ashbourne Ct.** ond cyn **Ashdale Rd.**

3. Mae strydoedd a detholiad o fflatiau a llwybrau troed sy'n rhy fychan i'w dangos ar y mapiau, yn ymddangos yn y mynegai gyda'r dramwyfa y mae'n
   gysylltiedig â hi wedi'i dangos mewn cromfachau; e.e. **Alexandra Ter.** *CF47: M Tydfil. . . .1C* **12** *(off Twynyrodyn Rd.)*

4. Cyfeirir at gyfeiriadau sydd mewn mwy nag un rhan fel cyfeiriadau nan ydynt yn barhaus.

5. Dangosir ardaloedd a lleoedd yn y mynegai mewn **TEIP GLAS** ac mae'r cyfeirnod map yn cyfeirio at y sgwâr ar y map lle mae lleoliad canol y dref neu'r ardal
   ac nid at yr enw lle a ddangosir ar y map; e.e. **ABERAMAN. . . . 4E 15**

6. Enghraifft o fan diddorol dethol yw Cyfarthfa Castle & Mus. 4E 5

7. Enghraifft o orsaf yw **Aberdare Station (Rail) 1C 14**

8. Enghraifft o Ysbyty neu Hosbis yw ABERDARE GENERAL HOSPITAL. . . . 6F 11

GENERAL ABBREVIATIONS *Talfyriadau Cyffredinol*

App. : Approach	**Ent.** : Enterprise	**Mkt.** : Market	**Sth.** : South
Av. : Avenue	**Est.** : Estate	**Mdw.** : Meadow	**Sq.** : Square
Bri. : Bridge	**Fld.** : Field	**Mdws.** : Meadows	**St.** : Street
Bldgs. : Buildings	**Gdns.** : Gardens	**M.** : Mews	**Ter.** : Terrace
Bungs. : Bungalows	**Gt.** : Great	**Mt.** : Mount	**Up.** : Upper
Bus. : Business	**Gro.** : Grove	**Mus.** : Museum	**Va.** : Vale
Cvn. : Caravan	**Hgts.** : Heights	**Nth.** : North	**Vw.** : View
Cen. : Centre	**Ho.** : House	**Pde.** : Parade	**Vs.** : Villas
Cl. : Close	**Ho's.** : Houses	**Pk.** : Park	**Vis.** : Visitors
Cotts. : Cottages	**Ind.** : Industrial	**Pl.** : Place	**Wlk.** : Walk
Ct. : Court	**Info.** : Information	**Ri.** : Rise	**W.** : West
Cres. : Crescent	**La.** : Lane	**Rd.** : Road	**Yd.** : Yard
Cft. : Croft	**Lit.** : Little	**Rdbt.** : Roundabout	
Dr. : Drive	**Lwr.** : Lower	**Shop.** : Shopping	

LOCALITY ABBREVIATIONS *Byrfoddau Lleoliadau*

A'man : **Aberaman**	**Caerau** : **Caerau**	**Glyn** : **Glyncoch**	**M Tydfil** : **Merthyr Tydfil**
A'naid : **Abercanaid**	**Caer** : **Caerphilly**	**G'cwg** : **Glyncorrwg**	**M Vale** : **Merthyr Vale**
A'boi : **Abercwmboi**	**Cefn C** : **Cefn-coed-y-Cymmer**	**G'mmer** : **Glyncymmer**	**M Ash** : **Mountain Ash**
A'non : **Abercynon**	**Chu V** : **Church Village**	**Groes F** : **Groes-Faen**	**N'grw** : **Nantgarw**
A'dare : **Aberdare**	**C'fydd** : **Cilfynydd**	**Hend** : **Hendreforgan**	**Nantyff** : **Nantyffyllon**
A'fan : **Aberfan**	**Cre** : **Creigiau**	**Hens** : **Hensol**	**N moel** : **Nant-y-moel**
Aberg : **Abergwynfi**	**Croes** : **Croeserw**	**H'rrig** : **Heolgerrig**	**Nels** : **Nelson**
Abert : **Abertridwr**	**C Inn** : **Cross Inn**	**Hirw** : **Hirwaun**	**Ogm V** : **Ogmore Vale**
Bed : **Beddau**	**C'man** : **Cwmaman**	**Lew** : **Lewistown**	**Pant** : **Pant**
B'nog : **Bedlinog**	**C'bach** : **Cwmbach**	**L'nor** : **Llangeinor**	**P'coed** : **Pencoed**
B'mll : **Blackmill**	**C'dare** : **Cwmdare**	**L'haran** : **Llanharan**	**P'rhys** : **Penrhys**
B'cwm : **Blaencwm**	**Dowl** : **Dowlais**	**L'harry** : **Llanharry**	**Pentre** : **Pentre**
B'grw : **Blaengarw**	**E Isaf** : **Efail Isaf**	**L'sant** : **Llantrisant**	**P'bach** : **Pentrebach**
B'gnfi : **Blaengwynfi**	**Evan** : **Evanstown**	**Llan F** : **Llantwit Fardre**	**P'rch** : **Pentyrch**
B'ndda : **Blaenrhondda**	**Fern** : **Ferndale**	**L'coed** : **Llwydcoed**	**P'cae** : **Penycoedcae**
B'cae : **Bryncae**	**Gelli** : **Gelli**	**L'nypia** : **Llwynypia**	**P'graig** : **Penygraig**
B'myn : **Brynmenyn**	**G'gaer** : **Gelligaer**	**Maer** : **Maerdy**	**Peny** : **Penywaun**
B'nna : **Brynna**	**Gilf G** : **Gilfach Goch**	**Maesteg** : **Maesteg**	**Pont R** : **Pont Rhyd-y-cyff**

Locality Abbreviations *Byrfoddau Lleoliadau*

P'clun : **Pontyclun**
P'mer : **Pontycymer**
P'gwth : **Pontygwaith**
P'prdd : **Pontypridd**
Pont-y-r : **Pont-y-rhyl**
Porth : **Porth**
Rhig : **Rhigos**
Rhiwc : **Rhiwceiliog**
R'fln : **Rhydyfelin**
Rhym : **Rhymney**
Taff W : **Taff's Well**
T Grn : **Talbot Green**
Ton P : **Ton Pentre**
Tont : **Tonteg**
T'pandy : **Tonypandy**
T'fail : **Tonyrefail**
T'law : **Trealaw**
Tre'han : **Trefechan**
T'rest : **Treforest**
T'harris : **Treharris**
Treh : **Treherbert**
T'lewis : **Trelewis**
Treo : **Treorchy**
T'rhiw : **Troedyrhiw**
Tylor : **Tylorstown**
Up Ba : **Upper Baot**
Up Bo : **Upper Boat**
W'twn : **Williamstown**
Ynys : **Ynyshir**
Y'bwl : **Ynysybwl**
Ystrad : **Ystrad**

A

Abbey Ct. CF38: Chu V .4G **51**
ABERAMAN .4E **15**
Aberaman Ent. Pk.
CF44: A'man .4G **15**
Aberaman Pk. Ind. Est
CF44: A'man .5G **15**
Aberaman Ter. CF44: A'man .5F **15**
ABERCANAID .5D **12**
Abercanaid Ind. Est.
CF48: M Tydfil .3C **12**
Abercerdin Rd. CF39: Evan .4B **42**
ABERCWMBOI .6G **15**
Abercwmboi-Isaf Rd.
CF45: M Ash .2B **24**
ABERCYNON .4F **33**
Abercynon North Station (Rail)
.5G **33**
Abercynon Rd.
CF37: A'non, Glyn .2G **41**
CF45: A'non .2G **41**
(Glyncoch)
CF45: A'non .1D **32**
(Tyntetown)
CF45: M Ash .6F **25**
Abercynon South Station (Rail)
.5G **33**
Abercynon Sports Cen. .4G 33
ABERDAR .1C **14**
ABERDARE .1C **14**
Aberdare Bus. Pk.
CF44: A'dare .5D **10**
ABERDARE GENERAL HOSPITAL
.6F 11
Aberdare Rd. CF43: Fern .5H **23**
CF44: C'bach .3G **15**
CF45: A'non .5F **33**
CF45: M Ash .1A **24**
Aberdare Station (Rail) .1C **14**
Aberdare Swimming Pool .1D 14
ABERFAN .6A **18**
Aberfan Cres. CF48: A'fan .6A **18**
Aberfan Fawr CF48: A'fan .2A **26**
Aberfan Rd. CF48: A'fan .6A **18**
Aberffrwd Rd. CF45: M Ash .1D **24**
Aberfields Vw. CF32: N moel .3H **69**
Abergorki Ind. Est. CF42: Treo .6G **21**
Abergwawr Pl. CF44: A'man .3D **14**
Abergwawr St. CF44: A'man .3E **15**
ABERGWYNFI .6G **65**
Aber Ho's. CF32: Ogm V .3H **69**
Aberllechau Rd. CF39: Ynys .1B **38**
ABERMORLAIS .6F 5
Abermorlais Ter. CF47: M Tydfil .6F **5**
ABERNANT .6F **11**
Aber-Nant Rd. CF44: A'dare .1D **14**
ABERPENNAR .3D **24**
Aberpennar St. CF45: M Ash .3C **24**
Aber-Rhondda Rd. CF39: Porth .5C **38**
Aber Rd. CF32: Ogm V .5G **69**
Abertaf Farm Flats CF45: A'non .4G **33**
Abertonllwyd St. CF42: Treh .3D **20**
Acacia Av. CF47: M Tydfil .3F **5**
Acacia St. CF37: R'fln .2G **53**
Acer Av. CF38: Llan F .2E **59**
Acorn Gro. CF38: Chu V .5G **51**
Adams St. CF40: T'pandy .2B **36**
Adare St. CF32: Ogm V .4G **69**
CF39: Evan .3B **42**
Adare Ter. CF40: T'pandy .4F **37**
CF42: Treo .6G **21**
Addison Av. CF72: L'harry .6A **60**
Aelfryn CF72: L'harry .6B **60**
Ael-y-Bryn CF34: Caerau .3C **64**
CF37: P'prdd .1G **45**
Aelybryn CF37: P'prdd .1C **46**
Ael-y-Bryn CF38: Bed .6C **50**
CF42: Treh .4E **21**
CF44: C'dare .6B **10**
CF46: T'lewis .4H **27**
Aeron Ter. CF47: M Tydfil .1D **12**
Afan Forest Park .2A 64 & 1A 66
Afan Vw. SA13: B'gnfi .5F **65**
Afon St. CF37: P'prdd .1H **45**
Agents Row CF44: A'dare .6G **11**
Alaw Rd. CF40: T'law .5H **37**
Albany Rd. CF32: P'mer .4B **68**
Albany St. CF43: Fern .1E **31**
CF45: M Ash .4D **24**
Alberta St. CF48: M Vale .6B **18**
Albert Rd. CF37: P'prdd .3D **46**
Albert St. CF34: Caerau .4E **65**
CF41: Pentre .2F **29**
CF43: Fern .6H **23**
CF44: A'dare .2C **14**
CF45: M Ash .4D **24**
Albert Ter. CF34: Maesteg .4B **66**
Albion Ct. CF37: C'fydd .6H **41**
Albion Ind. Est. CF37: C'fydd .3H **41**
Albion St. CF41: Ton P .5G **29**
CF44: A'man .3D **14**
Alder Dr. CF44: A'dare .1A **14**
Alder Gro. CF38: Llan F .2E **59**
CF47: M Tydfil .2F **5**
Aldergrove Rd. CF39: Porth .5C **38**
Alder Rd. CF72: L'harry .6B **60**
Alder Ter. SA13: Croes .1F **65**
Alexander Cl. CF48: A'naid .5D **12**
Alexandra Av. CF47: M Tydfil .4G **5**
Alexandra Cl. CF47: M Tydfil .4G **5**
Alexandra Pl. CF34: Caerau .3E **65**
CF45: A'non .4H **33**
Alexandra Rd. CF32: P'mer .4A **68**
CF37: T'rest .3F **47**
CF41: Gelli .5G **29**
CF47: M Tydfil .4G **5**
Alexandra St. CF34: Caerau .3D **64**
Alexandra Ter. CF38: Llan F .1E **59**
CF44: A'dare .1D **14**
CF44: C'man .5A **14**
CF45: M Ash .2E **25**
CF47: M Tydfil .1C 12
(off Twynyrodyn Rd.)
Alfred St. CF34: Maesteg .4C **66**
CF39: Gilf G .6C **42**
CF40: P'graig .1G **43**
CF47: M Tydfil .3H **5**
Alice Pl. CF44: C'man .6A **14**
Allen St. CF45: M Ash .2D **24**
Alltwen CF44: A'dare .6G **11**
Alma Ho's CF34: Maesteg .5D **66**
Alma Pl. CF41: Pentre .2F **29**
Alma Rd. CF34: Maesteg .5C **66**
Alma St. CF42: Treh .3C **20**
CF44: A'dare .6D **10**
CF47: M Tydfil .1C **12**
CF48: Dowl .2A **6**
Alma Ter. CF34: Maesteg .5D **66**
CF38: Chu V .5H **51**
CF48: Dowl .2A **6**
Almond Cl. CF38: Llan F .1E **59**
Almond Gro. CF47: M Tydfil .3F **5**
Alpha Pl. CF37: P'prdd .1F **47**
Alpha St. CF37: P'prdd .1F **47**
Alphonso St. CF48: Dowl .2B **6**
Aman Ct. CF44: C'man .6A **14**
Aman Pl. CF44: C'man .6A **14**
Aman St. CF44: C'man .6A **14**
Amberton Pl. *CF47: M Tydfil .3H 5*
(off Gwaunfarren Rd.)
Amelia Ter. CF40: L'nypia .2E **37**
America Pl. CF39: Porth .5D **38**
Amery Pl. CF41: Ystrad .4B **30**
Amos Hill CF40: P'graig .6F **37**
Anderson Ter. CF40: T'pandy .3E **37**
Andrews Cl. CF48: H'rrig .6C **4**
Aneurin Bevan Dr.
CF38: Chu V .5F **51**
Aneurin Bevan's Way
CF34: Maesteg .5F **67**
Aneurin Cres. CF47: M Tydfil .2D **12**
Anglesey Cl. CF38: Tont .3A **52**
Angus st. CF48: A'fan .6A **18**
CF48: T'rhiw .3H **17**
Ann's Cl. CF47: M Tydfil .1C **12**
Ann St. CF37: C'fydd .4H **41**
CF44: A'dare .6D **10**
CF45: A'non .5F **33**
Ansari Ct. CF72: L'sant .2F **57**
Anthony Gro. CF48: A'naid .5C **12**
(not continuous)
Anuerin Bevan Av.
CF82: G'gaer .1H **35**
Appletree Av. CF40: T'law .5A **38**
Appletree Rd. CF40: T'law .5A **38**
Arbutus Cl. CF47: M Tydfil .2F **5**
Arcade CF37: P'prdd .2E **47**
Archer St. CF37: Y'bwl .6B **32**
CF48: T'rhiw .1H **17**
Ardmore Av. CF40: P'graig .5F **37**
Ardwyn Pl. CF32: Ogm V .5G **69**
Ardwyn Ter. CF40: T'pandy .3E **37**
CF40: W'twn .3G **43**
CF41: Gelli .5G **29**
Arfonfab Cres. CF37: R'fln .1B **52**
Arfryn CF44: Peny .3G **9**
Arfryn Pl. CF47: M Tydfil .1C **12**
Arfryn Ter. CF43: Tylor .3F **31**
Argoed Av. CF72: L'haran .4G **55**
Argoed Ter. CF48: M Vale .6A **18**
Argyle St. CF39: Porth .1C **44**
CF41: Pentre .2F **29**
CF45: A'non .4H **33**
CF47: M Tydfil .6H **5**
Argyle Ter. CF40: L'nypia .1E **37**
Armant Vs. CF32: N moel .2H **69**
Arnold St. CF45: M Ash .2E **25**
Arnott's Pl. CF44: A'dare .2B **14**
Arran Cl. CF37: P'cae .5D **46**
Arthurs Pl. CF44: L'coed .4C **10**
Arthur St. CF40: P'graig, W'twn .1G **43**
CF41: Ystrad .4A **30**
CF45: M Ash .4D **24**
CF48: P'bach .6F **13**
SA13: B'gnfi .5F **65**
Ashbourne Ct. CF44: A'dare .6B **10**
Ash Cres. CF47: M Tydfil .3F **5**
Ashdale Rd. CF40: W'twn .2G **43**
Ashdown Ct. CF37: C'fydd .5H **41**
Ashfield Cl. CF37: Glyn .4E **41**
CF39: Porth .5B **38**
Ashgrove CF37: Glyn .3F **41**
Ash Gro. CF41: Pentre .2F **29**
CF44: A'dare .6D **10**
CF45: M Ash .5E **25**
Ashgrove CF46: T'harris .1H **33**
Ash Gro. CF48: Tre'han .1D **4**
CF72: L'harry .6B **60**
CF72: P'clun .1D **60**
Ashgrove Ter. CF46: Nels .4E **35**
Ashgrove Vs. CF46: B'nog .4E **19**
Ashlea Dr. CF47: M Tydfil .6H **5**
Ash Rd. CF48: T'rhiw .1H **17**
Ash Sq. CF37: R'fln .2G **53**
Ash St. CF39: Gilf G .6B **42**
CF44: A'boi .6G **15**
Ash Wlk. CF72: T Grn .5G **57**
Aspen Way CF38: Llan F .2E **59**
Atlee Ter. CF34: Caerau .3C **64**
Aubery Rd. CF40: P'graig .5G **37**
Aubrey Rd. CF39: Porth .1D **44**
Auburn Ri. *CF44: Hirw .1D 8*
(off Penyard Rd.)
Augusta St. CF41: Ton P .4G **29**
Augustus St. CF37: Y'bwl .6B **32**
Austin St. CF45: M Ash .2D **24**
Avenue De Clchy CF47: M Tydfil .6F **5**
Avenue, The CF32: P'mer .3A **68**
CF37: P'prdd .2F **47**
CF39: T'fail .6B **44**
CF43: P'gwth .1A **38**
CF45: C'bach, M Ash .4B **16**
CF46: T'harris .1H **33**
CF47: M Tydfil .4G **5**
Avondale Cl. CF45: A'non .2E **33**
Avondale Ct. CF39: Porth .1E **45**
Avondale Rd. CF41: Gelli .5G **29**
Avondale St. CF45: A'non .1E **33**
Avon St. CF43: Fern .6H **23**
Avon Ter. CF39: Ynys .2D **38**
Awelfryn CF37: P'cae .2C **50**
CF44: Peny .3H **9**
Awelfryn Ter. CF47: M Tydfil .3H **5**
Ayron St. CF43: Fern .2D **30**
Ayton Ter. CF40: T'pandy .3E **37**
Azalea Pk. CF48: Dowl .3C **6**

B

Baden Ter. CF47: M Tydfil .5H **5**
Baglan St. CF41: Pentre .2F **29**
CF42: Treh, Treo .4E **21**
CF43: P'gwth .6F **31**
Bagot St. CF45: M Ash .1D **32**
Baile Glas Ct. *CF47: M Tydfil .1C 12*
(off Twynyrodyn Rd.)
Bailey St. CF39: Ynys .1C **38**
CF41: Ton P .3F **29**
CF45: M Ash .4D **24**
Bakers Wharf CF37: P'prdd .1F **47**
Balaclava Ct. CF40: P'graig .6F **37**
Balaclava Rd. CF48: Dowl .2A **6**
Balmoral Cl. CF37: P'cae .5D **46**
Bangor St. CF34: Nantyff .1C **66**
Bangor Ter. CF34: Nantyff .1C **66**
Bankes St. CF44: A'dare .1C **14**
Bank St. CF34: Maesteg .4D **66**
CF40: P'graig .6G **37**
Bank Ter. CF48: Cefn C .3C **4**
Baptist Pl. CF44: Hirw .2E **9**
Baptist Row CF43: Fern .5H **23**
Baptist Sq. CF43: Fern .5H **23**
Bargoed Ter. *CF46: T'harris .6F 27*
(off Cardiff Rd.)
Barnardo St. CF34: Nantyff .1C **66**
Barrack Row CF48: Dowl .2B **6**
Barrett St. CF42: Treo .3B **28**
Barrington St. CF48: A'fan .6A **18**
Barry Rd. CF37: P'prdd .2C **46**
Basin, The CF45: A'non .4H **33**
Bassett St. CF37: P'prdd .1F **47**
CF45: A'non .4G **33**
Battenberg St. CF45: A'non .2E **33**
Batten Way CF37: C'fydd .6H **41**
Baxter Ter. SA13: G'cwg .1B **64**
Beacon Hgts.
CF48: M Tydfil .4A **4**
Beacon Ri. CF48: Pant .6G **7**
Beacons, The CF44: Hirw .2D **8**
Beacons Vw. CF48: Dowl .2B **6**
Beadon St. CF45: M Ash .3D **24**
Beatrice St. SA13: B'gnfi .5G **65**
Beaufort Ct. CF72: C Inn .5A **58**
Beaumaris Cl. CF38: Tont .3H **51**
Beckett St. CF45: M Ash .1D **24**
BEDDAU .6B **50**
Beddoe St. CF44: A'man .4E **15**
Beddoe Ter. CF46: T'harris .2A **34**
Bedford St. CF44: A'man .4E **15**
BEDLINOG .4E **19**
Bedlinog Ter. CF46: B'nog .3E **19**
Bedw Cl. CF39: Porth .1D **44**
Bedw Farm Est. CF39: Porth .1D **44**
Bedw Rd. CF37: C'fydd .5H **41**
CF46: B'nog .4E **19**
Bedw St. CF34: Caerau .5C **64**
CF39: Porth .1D **44**
Beechcroft CF46: T'lewis .6G **27**
Beeches Ind. Est., The
CF72: P'clun .6E **57**
Beeches, The CF45: A'non .4G **33**
Beechgrove CF46: T'harris .1H **33**
Beech Gro. CF47: M Tydfil .2G **5**
CF48: T'rhiw .3A **18**
Beeching Way *CF38: Tont .3G 51*
(off Brecon Way)
Beechlea Cl. CF72: P'clun .3H **61**
Beech Rd. CF32: Pont-y-r .6B **68**
CF72: L'harry .6B **60**
Beech St. CF39: Gilf G .6B **42**
CF43: Fern .1D **30**
Beech Tree Way CF46: Nels .4F **35**
Beech Vs. CF37: P'prdd .2D **46**
Beechwood Av. CF44: A'dare .1A **14**
CF48: Tre'han .1D **4**
Beechwood Dr. CF38: Llan F .1E **59**
Beech Wood Dr. CF39: T'fail .6E **43**
Beechwood Dr. CF48: H'rrig .6B **4**
Beechwood St. CF37: R'fln .2H **53**
Belgrave St. CF41: Ton P .5G **29**
Belgrave Ter. CF37: P'prdd .6G **41**
Belle Vw. CF40: P'graig .5G **37**
Belle Vue CF44: A'dare .5D **10**
Belle Vue St. CF40: T'pandy .2B **36**
Belle Vue Ter. CF37: T'rest .4G **47**
Bellevue Ter. CF45: M Ash .5F **25**
CF48: M Vale .1B 26
(off Alberta St.)
Bell Pl. CF44: A'man .6F **15**
Bells Hill CF48: M Vale .1B **26**
Bell St. CF44: A'dare .5D **10**
Belmont Cl. CF34: Maesteg .4D **66**

Belmont Ter.—Bute Ter.

Belmont Ter. CF39: Porth 1D **44**
CF44: A'man 3E **15**
Belmont Woodview
CF35: B'nna 6B **54**
Belthania Cl. CF34: Maesteg 5D **66**
Belvoir Ct. CF72: C Inn 5A **58**
Berry Sq. CF48: Dowl 3A **6**
Bertha St. CF37: T'rest 6G **47**
Berw Rd. CF37: P'prdd 1E **47**
CF40: T'pandy 2D **36**
Berwyn Cen. CF32: N moel 2H **69**
Bethania Hill CF39: T'fail 2D **48**
(not continuous)
Bethania Pl. CF44: C'bach 3G **15**
Bethania Row CF32: Ogm V 6G **69**
Bethania St. CF34: Maesteg 5D **66**
Bethel Ho. CF44: Hirw 1D **8**
Bethel Pl. CF44: Hirw 1D **8**
Bethel St. CF37: P'prdd 3D **46**
Bethesda St. CF37: P'prdd 1G **45**
CF47: M Tydfil 5E **5**
(not continuous)
Bethlehem Vw. CF72: L'haran 4F **55**
Bethuel St. CF44: A'dare 2D **14**
BETTWS 5A **70**
Bettws Rd.
CF32: B'myn, L'nor 6B **70**
CF32: L'nor 3C **70**
Bevan Pl. CF47: M Tydfil 6F **5**
Billingham Cres.
CF47: M Tydfil 4G **5**
Birch Cres. CF38: Llan F 2E **59**
Birchfield Cl. CF38: Tont 4A **52**
Birchgrove CF37: T'rest 3E **47**
Birch Gro. CF38: Chu V 4H **51**
Birchgrove CF44: A'dare 1A **14**
CF46: T'harris 1G **33**
Birch Gro. CF47: M Tydfil 2F **5**
CF72: L'harry 6B **60**
Birchgrove St. CF39: Porth 5D **38**
Birchley CF37: T'rest 5F **47**
Birchway, The CF48: Tre'han 1C **4**
Birchwood Av. CF37: T'rest 6G **47**
Birch Wood Dr. CF39: T'fail 1A **48**
Birdsfield Cotts. *CF37: P'prdd 3D 46*
(off Grover St.)
Bishops Gro. CF47: M Tydfil 4G **5**
Bishop St. CF40: P'graig 6G **37**
Blackberry Pl. CF45: M Ash 5B **16**
BLACKBROOK 6E **27**
BLACKMILL 5H **71**
Blackmill Rd. CF32: Lew 2H **71**
CF35: B'mll 6G **71**
Black Rd.
CF37: Chu V, P'cae, T'rest . . .6D **46**
CF38: Chu V 1D **50**
Blackthorn Av. CF47: M Tydfil 2F **5**
BLAENCAERAU 3E **65**
Blaencaerau Est.
CF34: Caerau 3E **65**
Blaencaerau Rd. CF34: Caerau 3E **65**
BLAEN CLYDACH 2C **36**
BLAENCWM 3A **20**
Blaen Dowlais St. CF48: Dowl 3C **6**
BLAENGARW 1A **68**
Blaengarw Rd. CF32: B'grw 1A **68**
Blaengwawr Cl. CF44: A'man 3D **14**
BLAENGWYFI 5G **65**
Blaenlau St. CF40: P'graig 5F **37**
BLAENLLECHAU 5H **23**
Blaenllechau Rd.
CF43: Fern . . . . .6H **23** & 1E **31**
Blaennantygroes Rd.
CF44: C'bach 3G **15**
Blaenogwr Ct. CF32: N moel 2H **69**
Blaenogwr Ter. CF32: N moel 1H **69**
BLAENRHONDDA 1B **20**
Blaenrhondda Rd.
CF42: B'ndda 2B **20**
Blaen Wern CF44: C'dare 6A **10**
Blaen-y-Cwm Rd.
CF42: B'cwm, Treh 3A **20**
Blaen-y-Cwm Ter. CF42: Treh 2C **20**
Blake St. CF43: Maer 4D **22**
Blanche St. CF37: P'prdd 1E **47**
CF48: Dowl 3C **6**
Blanch St.
CF40: P'graig, W'twn 1G **43**
Blandy Ter. CF32: N moel 1H **69**
CF32: Ogm V 6G **69**
CF32: P'mer 4B **68**
CF39: Gilf G 2C **42**
Blosse St. CF34: Nantyff 1C **66**
Blosse Ter. CF39: Porth 1D **44**
Bodringallt Ter. CF41: Ystrad 4A **30**
Bodwenarth Rd. CF37: C'fydd 5H **41**
Bogey Rd. CF48: P'bach 6A **6**
Boi Cl. CF45: M Ash 2B **24**
Bolgoed Pl. *CF47: M Tydfil 5G 5*
(off Pontmorlais W.)
Bond St. CF44: A'dare 2C **14**
Bontnewydd Ter.
CF46: T'lewis 6G **27**
Bonvilston Rd. CF37: P'prdd 1F **47**
Bonvilston Ter. CF37: P'prdd 1F **47**
Boot La. *CF44: A'dare 1C 14*
(off Commercial St.)
Bowlplex Cardiff 4F **53**
Bracken Ri. CF44: C'bach 2F **15**
Bradley Cl. CF47: M Tydfil 5H **5**
Bradley Gdns. CF47: M Tydfil 5H **5**
Bradley St. CF45: A'non 5F **33**
Braich y Cymmer Rd.
CF32: P'mer 4A **68**
Bramble Cl. CF47: M Tydfil 3E **5**
Bransby Rd. CF40: P'graig 5G **37**
Brecon CF48: Pant 5E **7**
Brecon Beacons National Park
. . . . .2A **4** & 1F **9**
Brecon Cl. CF44: Hirw 1D **8**
Brecon Mountain Railway 5E **7**
Brecon Pl. CF44: A'man 4F **15**
Brecon Rd. CF44: Hirw 1D **8**
CF47: M Tydfil 3D **4**
Brecon St. CF44: A'man 4F **15**
Brecon Way CF38: Tont 3G **51**
Brewery La. CF48: Cefn C 3C **4**
Brewery Ter. CF43: P'gwth 6G **31**
Briarmead CF47: M Tydfil 4G **5**
Briar Rd. CF44: C'bach 4H **15**
Briar Way CF38: Tont 4A **52**
CF44: Hirw 1C **8**
Brickfield Ter. CF47: M Tydfil 1C **12**
Brick Row CF34: Maesteg 6E **67**
Brick St. SA13: G'cwg 1B **64**
Bridgend Rd. CF32: P'mer 4A **68**
CF34: Maesteg 4D **66**
CF34: Pont R 3F **67**
CF72: B'cae, L'haran 5E **55**
Bridge Rd. CF37: Up Bo 3D **52**
CF44: C'bach 3G **15**
Bridge St. CF32: B'grw 1A **68**
CF34: Maesteg 4D **66**
CF37: P'prdd 2E **47**
(Trallwng)
CF37: P'prdd, Porth 6G **39**
(Trehafod)
CF37: T'rest 4G **47**
CF40: T'pandy 4F **37**
CF44: A'dare 6E **11**
CF48: A'fan 6A **18**
CF48: T'rhiw 2H **17**
SA13: G'cwg 1B **64**
Britannia Pl. *CF43: Fern 1E 31*
(off Cross St.)
Britannia St. CF39: Porth 1E **45**
Brithweunydd rd. CF40: T'law 4F **37**
Broadfield Cl. CF40: P'graig 5G **37**
Broad St. CF47: M Tydfil 1B **12**
CF48: Dowl 2A **6**
Broadway CF37: P'prdd, T'rest 3E **47**
Broadwel CF34: Maesteg 4D **66**
Brocks Ter. CF39: Porth 2A **44**
Brodawel CF44: Peny 3H **9**
CF47: M Tydfil 2C **12**
Brodeg CF44: C'bach 4H **15**
Brohedydd CF43: Maer 3C **22**
Bronallt Ter. CF44: A'boi 1A **24**
Broncynon Ter. CF44: C'dare 5B **10**
Brondeg CF48: H'rrig 6D **4**
Bron Deg CF46: T'lewis 4H **27**
Brondeg St. CF43: Tylor 5F **31**
Brondeg Ter. CF44: A'dare 2B **14**
Bronhaul CF44: C'bach 4H **15**
CF72: T Grn 5G **57**
Bronheulog Ter. CF48: T'rhiw 3H **17**
Bronheulwen CF39: Porth 5B **38**
Broniestyn Ter. CF44: A'dare 6D **10**
CF44: Hirw 1D **8**
Bronllwyn Rd. CF41: Gelli 5G **29**
Bronllys CF44: Peny 3H **9**
Bronwydd Swimming Pool 6C **38**
Brony Cl. CF47: M Tydfil 1D **12**
Bron-y-Deri CF45: M Ash 2E **25**
Bron-y-Waun CF34: Maesteg 5F **67**
Brookbank Cl. CF44: C'bach 2F **15**
Brookdale Ct. CF38: Chu V 5H **51**
Brookfield CF37: Y'bwl 3C **40**
Brookfield La. CF37: P'prdd 6G **41**
Brookfield Rd.
CF34: Maesteg 5F **67**
CF43: Maer 5E **23**
Brooklands CF46: Nels 2D **34**
Brooklands Cl.
CF47: M Tydfil 4F **5**
Brooklands Cotts. CF46: Nels 2D **34**
Brookland Ter. CF32: N moel 2H **69**
Brook Pl. CF41: Pentre 2G **29**
Brookside CF38: Tont 4A **52**
Brookside Cl. CF37: C'fydd 5H **41**
Brook St. CF37: T'rest 5G **47**
CF39: Porth 1C **44**
(Cymmer)
CF39: Porth 6E **39**
(Llwyncelyn)
CF40: P'graig 6G **37**
CF41: Ystrad 5B **30**
CF42: B'ndda 1B **20**
CF42: Treo 1E **29**
CF43: Fern 1D **30**
CF43: Maer 4D **22**
CF44: A'man 3D **14**
CF45: M Ash 3D **24**
Brook Ter. CF38: Chu V 4H **51**
CF72: L'haran 4F **55**
Brookway CF38: Tont 4A **52**
Broomfield Cl. CF38: Tont 4A **52**
Brotalwg CF46: T'harris 6F **27**
Brow-Dawel Cl. CF72: P'clun 3E **61**
Brown St. CF34: Nantyff 2B **66**
CF43: Fern 1E **31**
Bro-y-Ffrwd CF48: M Tydfil 4B **4**
Bruce St. CF45: M Ash 2D **24**
Brummel Dr. CF15: Cre 3H **63**
Brunswick St. CF47: M Tydfil 5F **5**
BRYN 5A **8**
Brynamlwg *CF40: T'pandy 3E 37*
(off Park Pl.)
CF72: P'clun 1G **61**
Bryn Aur CF37: Glyn 3F **41**
Bryn Awel CF32: L'nor 3A **70**
CF37: Glyn 3F **41**
Brynawel CF44: A'dare 2B **14**
Brynawelon CF44: C'bach 4H **15**
Bryn Bedw CF39: Porth 2C **44**
Brynbedw Rd. CF43: Tylor 4F **31**
Brynbedw St. CF32: B'grw 1A **68**
BRYNCAE 5E **55**
Bryncae Ind. Est.
CF72: B'cae 5F **55**
Bryn Carwyn CF48: Dowl 3B **6**
Bryn Celyn CF34: Maesteg 6C **66**
Bryncelyn CF46: Nels 4D **34**
Bryn Coed CF44: Peny 3G **9**
SA13: Croes 2G **65**
Bryn Creigiau CF72: Groes F 2E **63**
Bryn Crydd CF39: Porth 2B **44**
Bryncynon CF44: Hirw 1E **9**
Bryn Derw CF38: Bed 6C **50**
Brynderwen CF37: C'fydd 4H **41**
CF44: C'dare 6A **10**
Brynderwen Ct. *CF43: Fern 6H 23*
(off Church St.)
Brynderwen Rd. CF37: C'fydd 4H **41**
CF40: P'graig 5E **37**
Bryn Eglwys CF40: W'twn 2G **43**
CF72: L'haran 4G **55**
Bryn Eirw CF37: P'prdd 6G **39**
Bryn Eithin CF44: C'dare 6B **10**
Brynfab Rd. CF37: R'fln 1B **52**
Brynfedwen Cl. CF42: Treh 4E **21**
Bryn Ffynon CF39: Porth 1B **44**
Brynffynon Cl. CF44: A'dare 2C **14**
Bryngelli Est. CF44: Hirw 2C **8**
Bryngerwn Av. CF46: T'harris 2B **34**
Bryn Glas CF44: C'bach 3G **15**
Brynglas St. CF47: M Tydfil 4H **5**
Brynglas Ter. CF34: Caerau 3E **65**
Bryngolau CF39: T'fail 6F **43**
(not continuous)
BRYNGOLEU 2A **26**
Bryngoleu Cres. CF43: Fern 6H **23**
Bryn Golwg CF44: C'bach 3H **15**
Bryn Gwyn Cl. CF44: Peny 3G **9**
Bryngwyn St. CF39: Porth 5C **38**
Bryn-Hedd CF39: Hend 6D **42**
Bryn Henllan CF42: B'ndda 1B **20**
CF72: B'nna 4C **54**
BRYNHEULOG 3C **64**
Bryn Heulog CF42: Treh 4E **21**
Brynheulog CF45: M Ash 5E **25**
Brynheulog Rd. SA13: Croes 2E **65**
Brynheulog St. CF47: M Tydfil 4H **5**
Brynheulog Ter. CF39: Porth 5D **38**
CF40: T'pandy 2C **36**
CF43: Tylor 2E **31**
CF44: A'man 5E **15**
Brynhfryd CF32: P'mer 4B **68**
Bryn Hir CF44: C'bach 3H **15**
Brynhyfryd CF32: L'nor 4A **70**
CF38: Bed 6C **50**
CF39: Hend 6D **42**
CF40: T'pandy 3E **37**
Brynhyfryd CF43: Tylor 4F **31**
Brynhyfryd CF44: C'man 1H **23**
Brynhyfryd Av. CF40: P'graig 5G **37**
Brynhyfryd Pl. CF37: T'rest 4F **47**
Brynhyfryd St. CF40: T'pandy 2B **36**
CF42: Treo 5F **21**
CF47: M Tydfil 3H **5**
Brynhyfryd Ter. CF37: P'prdd 2D **46**
CF43: Fern 1D **30**
CF48: Cefn C 3C **4**
Brynhyfryd Vs. *CF48: T'rhiw 2A 18*
(off Cardiff Rd.)
BRYNIAU 1H **5**
Bryniau Rd.
CF48: M Tydfil, Pant 2H **5**
Bryn Ifor CF45: M Ash 3D **24**
Bryn Ilan CF37: R'fln 3H **47**
Bryn Ivor St. CF40: L'nypia 1F **37**
Brynllwarch CF34: Maesteg 6B **66**
Bryn Mair CF48: Dowl 3B **6**
Brynmair Cl. CF44: A'man 6D **14**
Brynmair Rd. CF44: A'man 5B **14**
Brynmair Ter. *CF47: M Tydfil 3H 5*
(off Merthyr Rd.)
Brynmawr CF32: L'nor 4A **70**
Brynmawr Pl. CF34: Maesteg 4B **66**
Bryn Moreia CF44: L'coed 3C **10**
Brynmorlais St.
CF47: M Tydfil 3H **5**
BRYNNA 4D **54**
Brynna Rd. CF35: B'nna 6A **54**
CF72: B'nna 6A **54**
(William St.)
CF72: B'nna, L'harry 4D **54**
(Southall St.)
BRYNNAU GWYNION 5B **54**
Brynogwy Ter. CF32: N moel 2H **69**
Bryn Olwg CF37: P'prdd 1G **47**
Brynonen Ter. *CF47: M Tydfil 3H 5*
(off Urban St.)
Bryn Rhedyn CF37: Glyn 3F **41**
CF38: Tont 3H **51**
CF39: T'fail 5H **43**
CF42: Treh 4E **21**
Bryn Rhodfa CF42: Treo 6H **21**
Bryn Rhos CF44: Peny 3G **9**
Bryn Rd. CF32: Ogm V 6G **69**
SA13: G'cwg 1B **64**
BRYNSADLER 3D **60**
Brynseion CF48: T'rhiw 2A **18**
Bryn-Seton St. CF48: Dowl 3A **6**
Bryn Siriol CF32: L'nor 6A **70**
Brynsiriol CF44: Hirw 1D **8**
Bryn Siriol SA13: Croes 2F **65**
Bryn St. CF47: M Tydfil 1D **12**
Bryntaf CF48: A'fan 1A **26**
Bryntaf CF48: Cefn C 3C **4**
BRYNTEG 2B **58**
Brynteg CF34: Maesteg 5B **66**
CF46: T'harris 6F **27**
Brynteg Ct. CF38: Bed 2C **58**
Brynteg La. CF38: Bed 2B **58**
CF72: Bed 2B **58**
Brynteg Ter. CF40: T'law 5H **37**
CF43: Fern 2E **31**
CF47: M Tydfil 6G **5**
CF48: M Vale 1B **26**
Bryn Ter. CF34: Caerau 3D **64**
CF34: Pont R 3H **67**
CF38: Llan F 6F **51**
CF39: Porth 6D **38**
CF39: Ynys 1B **38**
CF40: P'graig 5G **37**
CF40: T'pandy 2C **36**
CF41: Ystrad 4A **30**
CF43: Tylor 6F **31**
CF44: C'dare 6A **10**
CF47: M Tydfil 6A 6
(off Penheolferthyr)
Bryn, The CF44: Rhig 6A **8**
Bryntirion Rd.
CF47: M Tydfil 6G **5**
Bryntirion St. CF48: Dowl 2A **6**
Brynwern St. CF48: Dowl 2B **6**
Bryn Wyndham Ter.
CF42: Treh 2C **20**
Brytwn Rd. SA13: G'mmer 1C **64**
BUARTH CAPEL 5A **32**
Buarth-Y-Capel CF37: Y'bwl 5A **32**
Buckland Dr. CF41: Ystrad 5C **30**
Buckley Cl. CF40: T'law 2F **37**
Buckley Rd. CF40: T'law 2F **37**
Bull Ring CF72: L'sant 3H **57**
Burgesse Cres.
CF72: L'sant 5H **57**
Burns St. CF44: C'man 5A **14**
Burn's Way CF37: P'cae 6D **46**
Bush Rd. CF45: M Ash 4E **25**
Business Cen.
CF45: M Ash 4F **25**
Bute Pl. CF44: Hirw 1C **8**
Bute St. CF42: Treh 4D **20**
CF42: Treo 6G **21**
CF44: A'dare 1C **14**
Bute Ter. *CF44: A'dare 2D 14*
(off Bute St.)
CF44: Hirw 1C **8**

Bwlch-y-Clawdd Rd.—Clos-y-Carw

Bwlch-y-Clawdd Rd.
CF32: N moel 2H 69
(Brookland Ter.)
CF32: N moel 1G 69
(Valeview Ter.)
CF42: Treo 4A 28
(not continuous)
Bwllfa Cotts. CF41: Gelli 5G 29
Bwllfa Rd. CF44: C'dare 6G 9
Bwl Rd. CF46: Nels 3D 34
Byrnchan Pl. CF47: M Tydfil 5F 5
Byron Av. CF38: Bed 2C 58
Byron Ri. CF37: R'fln 1H 53
Byron St. CF44: C'man 5A 14

C

Cadlan Bethel *CF48: M Tydfil 6E 5*
(off Tramroad Side)
Cadogan Cl. CF41: Ystrad 4B 30
Cadogan St. CF32: N moel 2H 69
Cadwaladr St. CF45: M Ash 2C 24
Cadwgan Rd. CF42: Treo 1E 29
Cadwgan Ter. CF37: P'prdd 1G 45
Cae Bach CF32: L'nor 5D 70
Cae Bryn Hyfryd CF44: Hirw 1C 8
Cae Cadno CF38: Chu V 4F 51
CAE-DRAW 1B 12
Caedraw Rd. CF47: M Tydfil 1B 12
Cae-Draw Rdbt. CF47: M Tydfil 1C 12
Caedu Rd. CF32: Ogm V 6G 69
Cae Fardre CF38: Chu V, Tont 3H 51
Cae Felin Parc CF44: Hirw 2E 9
Cae Ffynnon CF38: Chu V 3G 51
Cae Glas CF40: W'twn 2G 43
Cae Llwyndu CF46: Nels 4E 35
Cae Mari Dwn. CF47: M Tydfil 6G 5
Caemawr Gdns. CF39: Porth 6C 38
Cae Mawr Ind. Est. CF42: Treo 2E 29
Caemawr Rd. CF39: Porth 6C 38
Caemawr Ter. CF40: W'twn 2G 43
Caenant CF37: R'fln 5H 47
CAE-PANT-TYWLL 5F 5
Caeracca CF48: Pant 1B 6
Caeracca Vs. CF48: Pant 1B 6
CAERAU 4D 64
Caerau Ct. CF72: C Inn 4B 58
Caerau Rd. CF34: Caerau 4D 64
Cae'r Gelynnen CF46: Nels 4E 35
Cae'r Gerddi CF38: Chu V 4G 51
Cae'rgwerlas CF39: T'fail 6G 43
Caer Gymrig CF34: Maesteg 6F 67
Caerhendy St. CF47: M Tydfil 3H 5
Caerleon Gro. CF48: M Tydfil 5A 4
Caernarvon Gro.
CF48: M Tydfil 4A 4
Caerphilly Rd. CF15: N'grw 6F 53
(not continuous)
CF46: Nels 4F 35
CF46: T'harris 2A 34
Cae'r Wen CF48: M Tydfil 1A 12
Cae Siriol CF39: Ynys 3C 38
Caiach Ter. CF46: T'lewis 1D 34
Cairo St. CF40: T'law 4H 37
Calderton Rd. CF38: Bed 1C 58
Caldicott Cl. CF38: Bed 2C 58
Caldwell Cl. CF38: Bed 2C 58
Calluna Cl. CF48: Dowl 3C 6
Cambrian Av.
CF39: Gilf G, Hend 5B 42
Cambrian Ind. Est. (East Side)
CF72: P'clun 1E 61
Cambrian Ind. Est. (West Side)
CF72: P'clun 1E 61
Cambrian Ind. Pk.
CF40: T'pandy 3C 36
Cambrian Pl. CF37: T'rest 4G 47
Cambrian St. CF47: M Tydfil 5F 5
Cambrian Ter. CF40: L'nypia 2E 37
CF47: M Tydfil 4G 5
(off Gwaelodygarth)
Camellia Cl. CF44: A'dare 6B 10
Campbell Ter. CF40: L'nypia 2E 37
CF45: M Ash 1D 24
Camperly Cl. CF38: Bed 2C 58
Campton Pl. CF38: Bed 2D 58
Canal Cotts. CF37: P'prdd 1F 47
Canal Lock Cl. CF48: A'fan 2A 26
Canal Rd. CF44: C'bach 2F 15
Canal Row CF48: A'naid 5D 12
Canal Side CF48: A'naid 5D 12
Canning St. CF41: Ton P 4F 29
Canobie Cres. CF48: A'fan 2A 26
Canon St. CF44: A'dare 1C 14
Capel Farm CF39: T'fail 6B 44
Capel Ifan CF39: T'fail 6B 44
Captains Hill CF46: T'lewis 6G 27
Caradoc Rd. CF45: M Ash 3D 24
Caradoc St. CF45: M Ash 3D 24
CF47: M Tydfil 5F 5
Caradog Rd. CF43: Tylor 4F 31
Caramel St. CF42: Treh 5E 21
Cardiff Pl. CF42: Treo 1D 28
Cardiff Rd. CF15: Cre 2G 63
CF15: N'grw, Taff W 5F 53
CF37: R'fln, Up Bo 4G 47
CF44: A'man, A'dare 2D 14
CF45: A'non 6F 33
CF45: M Ash 2D 24
CF46: T'harris 1H 33
CF48: M Vale, T'harris, T'rhiw
2A 18
CF72: L'sant 4H 57
CF72: P'clun 1A 62
Cardiff St. CF32: Ogm V 5G 69
CF42: Treo 1D 28
CF44: A'dare 1C 14
CF48: A'naid 5D 12
Cardigan Cl. CF38: Tont 4H 51
Cardigan Ter. CF32: N moel 1H 69
Carew Gro. CF48: M Tydfil 5A 4
Cargill Cl. CF38: Bed 2D 58
Carlton Cres. CF38: Bed 2C 58
Carlton Ter. CF48: T'rhiw 2H 17
Carmarthen Dr. CF38: Tont 3H 51
Carmen St. CF34: Caerau 4D 64
Carn Celyn CF38: Bed 2C 58
Carne St. CF41: Pentre 2F 29
CARNETOWN 6F 33
Carn-y-Celyn Cl.
CF40: P'graig 6F 37
Caroline St. CF40: P'graig 1G 43
CF42: B'ndda 1B 20
SA13: B'gnfi 5G 65
Caroline Ter. SA13: B'gnfi 5G 65
Carreg Arwyn CF72: L'harry 6A 60
Carshalton Rd. CF38: Bed 2C 58
Cascade Vw. CF44: C'dare 6A 10
Castan Rd. CF72: P'clun 2F 61
Castellau Rd. CF38: Bed 5A 50
Castell-y-Mynach Rd.
CF38: Bed 6B 50
Castle Cinema 6F 5
Castle Cl. CF15: Cre 1G 63
Castle Ct. CF38: Chu V 4H 51
Castleford Cl. CF38: Bed 1C 58
Castle Ivor St. CF37: P'prdd 2C 46
Castle Row CF48: Pant 1C 6
Castle Sq. CF47: M Tydfil 5E 5
Castle St. CF34: Maesteg 3C 66
CF37: T'rest 4G 47
CF42: Treo 2C 28
CF47: M Tydfil 6F 5
CF48: P'bach 5E 13
CF72: L'sant 4H 57
SA13: G'cwg 1A 64
Castle Ter. CF48: T'rhiw 1H 17
Castleton Av. CF42: Treh 2B 20
Castle Vw. CF48: H'rrig 6D 4
Castle Yd. CF47: M Tydfil 6F 5
Caswell Cl. CF44: Hirw 2D 8
Catherine Cl. CF48: A'naid 5D 12
Catherine's Ct. *CF47: M Tydfil 1C 12*
(off Tramroad Side Sth.)
Catherine St. CF37: P'prdd 2E 47
CF41: Pentre 2G 29
CF44: A'dare 2C 14
Catherine Ter. CF39: Porth 1C 44
Cavan Row CF34: Maesteg 3C 66
Cavell St. SA13: G'cwg 2B 64
Cavendish Pl. CF38: Bed 1C 58
Cedar Cl. CF44: A'dare 1A 14
Cedar Cres. CF38: Tont 4A 52
Cedar La. CF37: R'fln 2H 53
Cedar Way CF47: M Tydfil 3F 5
Cedar Wood Dr. CF39: T'fail 6E 43
Cefn Bryn CF39: Porth 2B 44
Cefn Cl. CF37: Glyn 3E 41
CEFN-COED-Y-CYMMER 2B 4
Cefndon Ter. CF44: Hirw 1E 9
Cefn La. CF37: Glyn 4D 40
CEFNPENNAR 5B 16
Cefnpennar Rd. CF44: C'bach 3H 15
CF45: C'bach 2B 16
Cefn Rd. CF39: Ynys 1B 38
CEFNYRHENDY 1G 61
Ceiriog Cres. CF37: R'fln 5H 47
Celtic Rd. CF34: Maesteg 6F 67
Celtic Vw. CF34: Maesteg 6E 67
Celyn Isaf CF39: T'fail 3E 49
Cemetery Rd. CF32: Ogm V 1H 71
CF34: Maesteg 5E 67
CF37: R'fln 4H 47
CF39: Porth, T'law 5B 38
CF42: Treo 6H 21
CF44: A'dare, Peny 4A 10
CF45: A'non 3E 33
Cenarth Dr. CF44: C'bach 1G 15
Centenary Ct. CF38: Bed 1D 58
Central Sq. *CF37: P'prdd 1F 47*
(off Ralph St.)
Centre Ct. CF37: Up Bo 5E 53
Cerdin Av. CF72: P'clun 2F 61
Cerdinen Ter. CF44: C'bach 3G 15
Ceredig St. CF48: P'bach 5E 13
Ceridwen St. CF43: Maer 4C 22
CF45: M Ash 3D 24
Ceridwen Ter. *CF72: L'sant 4H 57*
(off Heol-y-Beila)
Chalfont Cl. CF38: Bed 1D 58
Challis Row CF44: Hirw 1C 8
Chalvington Cl. CF38: Bed 1C 58
Chancery La. CF45: M Ash 2D 24
Chandlers Reach
CF38: Llan F 2E 59
Chandlery, The CF40: L'nypia 1F 37
Channel Av. CF39: Porth 3C 44
Chapel Banks CF48: M Tydfil 5E 5
Chapel Cl. CF48: P'bach 5E 13
Chapel Hill Cl. CF72: L'haran 4F 55
Chapel Rd. CF35: Rhiwc 1A 54
CF72: L'haran 4F 55
Chapel Row CF35: Rhiwc 2A 54
CF44: A'dare 1C 14
CF44: C'bach 3G 15
(off Cwrt Glan Wern)
CF48: M Tydfil 5E 5
Chapel Sq. CF48: A'naid 4C 12
Chapel St. CF32: N moel 1H 69
CF32: P'mer 4A 68
CF37: P'prdd 2E 47
CF37: R'fln 6H 47
CF40: P'graig 6G 37
CF40: T'pandy 3E 37
CF41: Ton P 4G 29
CF41: Ystrad 4B 30
CF42: B'cwm 3A 20
CF42: B'ndda 1B 20
CF42: Treo 1D 28
CF44: A'man 4E 15
CF46: B'nog 4E 19
CF48: A'naid 5D 12
CF48: T'rhiw 2A 18
SA13: Aberg 6G 65
Chapel Ter. CF39: Ynys 1B 38
Charles Row CF34: Maesteg 3C 66
Charles St. CF37: P'prdd 2C 46
CF39: Porth 5D 38
CF40: T'law 4H 37
CF40: T'pandy 3D 36
CF42: Treh 4E 21
CF43: Tylor 4F 31
Charlotte Gdns. *CF48: Dowl 2B 6*
(off Garden St.)
Charlotte St. CF48: Dowl 3B 6
Chartist Rd. CF72: L'sant 4G 57
Chase Vw. CF47: M Tydfil 4G 5
Chepstow Cl. CF48: M Tydfil 5A 4
Chepstow Rd. CF42: Treo 2C 28
Cheriton Gro. CF38: Tont 4B 52
Cherry Dr.
CF44: A'dare, C'dare 6B 10
Cherry Gro. CF47: M Tydfil 3F 5
Cherry Tree Cl. CF48: Tre'han 1D 4
Cherry Tree Wlk. CF72: T Grn 5G 57
Cherry Tree Way
CF46: T'lewis 5G 27
Chester Cl. CF48: H'rrig 6B 4
Chestnut Cl. CF44: A'dare 1A 14
Chestnut Gro. CF34: Maesteg 4E 67
Chestnuts, The CF72: P'clun 3H 61
Chestnut St. CF37: R'fln 2G 53
Chestnut Way CF47: M Tydfil 3F 5
Chevron St. CF39: Porth 5C 38
Chez Nid CF45: M Ash 2E 25
Christopher Rd.
CF34: Maesteg 4E 67
Christopher Ter.
CF47: M Tydfil 2C 12
Church Av. CF44: L'coed 3C 10
Church Cl. CF38: Llan F 1F 59
Churchfield Row CF41: Pentre 3G 29
Church La. CF15: N'grw 6G 53
CF46: Nels 3E 35
Church Pl. CF32: B'grw 1A 68
CF34: Maesteg 4C 66
Church Rd. CF37: P'prdd 1F 47
CF38: Tont 3G 51
CF40: W'twn 2G 43
CF41: Ton P 4G 29
CF82: G'gaer 1H 35
Church Row CF44: A'dare 5C 10
CF48: Dowl 3B 6
Church St. CF32: B'grw 1A 68
CF32: P'mer 4B 68
CF34: Caerau 3C 64
CF34: Maesteg 4C 66
CF37: P'prdd 2E 47
Church St. CF37: Y'bwl 5B 32
CF40: L'nypia 1F 37
CF41: Ton P 4G 29
CF42: Treh 4E 21
CF42: Treo 2B 28
CF43: Fern 6H 23
CF43: Maer 4C 22
CF45: M Ash 5F 25
CF47: M Tydfil 5F 5
(Grawen Ter.)
CF47: M Tydfil 4H 5
(Lloyds Ter.)
CF47: M Tydfil 6G 5
(Tramroad Side Nth.)
CF48: Dowl 3B 6
CF48: T'rhiw 2H 17
CF72: B'nna 4D 54
CF72: L'sant 4H 57
SA13: Croes 2F 65
Church Ter. CF32: B'grw 1A 68
CF32: N moel 1G 69
CF39: Ynys 3D 38
CF40: W'twn 1G 43
CF43: Tylor 4F 31
Church Ter. CF48: P'bach 4D 12
CF72: L'haran 4G 55
Church Vw. CF37: P'prdd 3C 46
CF43: Tylor 5F 31
CF48: A'naid 5D 12
CF72: B'nna 4D 54
Church Vw. Cl. CF72: B'nna 4D 54
CHURCH VILLAGE 5G 51
Church Wlk. CF39: Porth 6E 39
CILFYNYDD 4H 41
Cilfynydd Rd. CF37: C'fydd 5H 41
Cilhaul CF46: T'harris 5F 27
Cilhaul Ter. CF45: M Ash 4D 24
Cil Hendy CF72: P'clun 2G 61
Cilsanws La. CF48: Cefn C 2B 4
Cil-Sanws La. Cf48: Cefn C 2C 4
City Rd. CF32: L'nor 6A 70
Claerwen CF82: G'gaer 1H 35
Claerwen Cl. CF44: C'bach 1G 15
Clanlay St. CF45: M Ash 5F 25
Clara St. CF41: Ton P 4F 29
Claremont Dr. CF46: T'harris 2C 34
Clarence Ct. CF34: Maesteg 4C 66
Clarence St. CF41: Ton P 4G 29
CF45: M Ash 4D 24
Clarence Ter. CF44: A'man 5F 15
Clare Rd. CF42: Treo 2C 28
Clare St. CF47: M Tydfil 2C 12
Clark St. CF42: Treo 1D 28
Clas Ael-y-Bryn CF37: Y'bwl 4A 32
Clas Gwernifor CF45: M Ash 3E 25
Clas-Ty-Gelli CF37: Glyn 3F 41
Clas-y-Dderwen CF45: M Ash 2E 25
Claverton Cl. CF38: Bed 1D 58
Clayton Cres. CF37: Glyn 4E 41
Cledwyn Gdns. CF44: A'dare 5B 10
Cledwyn Ter. CF44: A'dare 5C 10
Cliff St. CF45: M Ash 3D 24
Cliff Ter. CF37: T'rest 3F 47
Clifton Ct. CF44: A'dare 1B 14
Clifton Cres. CF44: A'man 4F 15
Clifton Row CF39: Porth 1E 45
Clifton St. CF42: Treo 2D 28
CF44: A'dare 2B 14
Clive Pl. CF44: A'dare 5C 10
Clive St. CF44: A'dare 5C 10
Clive Ter. CF37: Y'bwl 6B 32
Clos Alun CF72: B'nna 4C 54
Clos Aneurin CF37: R'fln 1B 52
Clos Brenin CF72: P'clun 2E 61
Clos Bron Iestyn CF37: P'prdd 2C 46
Clos Bychan CF44: C'dare 6A 10
Clos Cadw Gan CF38: Bed 2B 58
Clos Cae Pwll CF46: Nels 3D 34
Clos Camlas CF37: P'prdd 1F 47
Clos Caradog CF38: Llan F 5F 51
Clos Cefn Glas CF38: Llan F 2E 59
Clos Coll Wyn CF38: Llan F 2D 58
Clos Creyr Goed
CF38: Chu V, Llan F 4F 51
Clos Darren Las CF15: Cre 2G 63
Close, The CF44: A'dare 2C 14
Clos Gwent CF38: Bed 2B 58
Clos Gwynedd CF38: Bed 2B 58
Clos Hereford CF72: L'sant 5H 57
Clos Lancaster CF72: L'sant 5H 57
Clos Leland CF72: L'sant 5H 57
Clos Llangefni CF38: Bed 1B 58
Clos Llewellyn CF15: Cre 3G 63
Clos Myddlyn CF38: Bed 2B 58
Clos Myn Ydd CF32: L'nor 4B 70
Clos Powys CF38: Bed 1B 58
Clos Waun Ceffyl CF46: Nels 3D 34
Clos William Price
CF37: R'fln 3H 47
Clos-y-Carw CF38: Llan F 1D 58

Clos y Coed—Davies St.

Clos y Coed CF38: Chu V 5G 51
Clos y Dolydd CF38: Bed 2C 58
Cloth Hall La. CF48: Cefn C 2C 4
Clover Rd. CF47: M Tydfil 2D 4
Club Row CF41: Ystrad 4B 30
Club St. CF44: A'man 3D 14
Clun Av. CF72: P'clun 1F 61
Clun Cres. CF72: P'clun 1F 61
Clwyd Av. CF44: C'bach 1G 15
CLWYDFAGWYR 5A 4
Clydach Cl. CF37: Glyn 4F 41
Clydach Rd. CF37: Y'bwl 5A 32
CF40: T'pandy 2C 36
Clydach Ter. CF37: Y'bwl 5B 32
CLYDACH VALE 2B 36
Clyngwyn Rd. CF42: B'ndda 2B 20
Clyngwyn Ter. CF42: B'ndda 2B 20
Cobden Pl. *CF47: M Tydfil 1C 12*
(off Alma St.)
Cobden St. CF44: A'man 5E 15
Coed Bychan Cres.
CF72: L'haran 4F 55
Coedcae CF48: Dowl 2C 6
Coedcae La. CF72: P'clun 1D 60
Coedcae La. Ind. Est.
CF72: P'clun 6D 56
Coedcae'r Cwrt CF47: M Tydfil 1C 12
Coedcae Rd. CF37: P'prdd 6F 39
CF39: Porth 1E 45
CF48: Dowl 2D 6
Coed Isaf Rd. CF37: P'prdd 3C 46
Coedmeyrick Cl.
CF48: M Tydfil 4A 4
Coed Mieri CF72: P'clun 1E 61
COED-PEN-MAEN 1E 47
Coedpenmaen Cl.
CF37: P'prdd 2F 47
Coedpenmaen Rd.
CF37: P'prdd 1F 47
Coed y Brenin CF37: P'prdd 3C 46
Coed-y-Lan Rd. CF37: Glyn 4F 41
Coed yr Esgob CF72: L'sant 3G 57
Coegnant Rd.
CF34: Caerau, Nantyff 5C 64
CF34: Nantyff 1C 66
Colbourne Rd. CF38: Bed 1C 58
Coldra Rd. CF42: Treh 1B 20
Coliseum Theatre 6D 10
College St. CF44: A'dare 1D 14
Collenna Rd. CF39: T'fail 6A 44
Colliers Way CF40: L'nypia 2E 37
Colliery St. CF37: P'prdd 1H 45
Collins Ter. CF37: T'rest 5G 47
Collins Way CF42: Treo 2D 28
Collwyn St. CF39: T'fail 5F 49
Column St. CF42: Treo 1D 28
Colwyn Rd. CF41: Gelli 5G 29
Coly Row CF46: B'nog 3D 18
Commerce Pl. CF44: A'man 4E 15
Commercial Pl. CF45: M Ash 1D 32
Commercial St. CF32: N moel 1G 69
CF32: Ogm V 5G 69
CF34: Maesteg 4C 66
CF38: Bed 6C 50
CF43: Fern 6H 23
CF44: A'dare 1C 14
CF45: M Ash 2D 24
CF46: B'nog 4E 19
CF46: Nels 3E 35
CF48: Dowl 3B 6
CF72: L'sant 4H 57
SA13: B'gnfi 6G 65
SA13: G'cwg 1B 64
Commercial Ter.
CF46: T'harris 1B 34
Common App. CF38: Bed 1C 58
Common Rd. CF37: P'prdd 2F 47
(not continuous)
Compton Rd. CF40: T'pandy 4E 37
Concorde Dr. CF39: T'fail 6B 44
Coniston Ri. CF44: C'bach 2G 15
Consort St. CF45: M Ash 4E 25
Constantine Ct. *CF40: P'graig 1G 43*
(off Constantine St.)
Constantine St. CF40: P'graig 6G 37
Convil Rd. CF32: B'grw, P'mer 1A 68
Conway Cl. CF37: Glyn 4E 41
Conway Cres. CF38: Tont 3H 51
Conway Dr. CF44: C'bach 2G 15
Conway Gro. CF48: M Tydfil 5A 4
Conway Rd. CF42: Treo 2D 28
Conybeare St. CF45: M Ash 3D 24
Cooperative Cotts.
CF44: A'dare 1B 14
(off North Av.)
Co-operative St. CF41: Ton P 4F 29
Coopers Way CF72: C Inn 4B 58
Coplestone St. CF45: M Ash 3D 24
Copley St. CF45: M Ash 1D 24
Coppice, The CF38: Tont 3A 52
Coppins Row CF48: M Tydfil 6F 5
Copse, The CF48: Tre'han 1D 4
Corbett St. CF32: Ogm V 6G 69
CF42: Treh 4E 21
Corner Ho. St. CF44: L'coed 2C 10
Corn Stairs Hill CF37: P'prdd 2F 47
Cornwall Rd. CF40: P'graig 6G 37
Coronation Av. SA13: Croes 1F 65
Coronation Pl. CF48: A'fan 6A 18
Coronation Rd. CF34: Pont R 3F 67
CF39: Evan, Gilf G 4B 42
Coronation St. CF32: Ogm V 3G 69
CF40: W'twn 1G 43
Coronation Ter. CF34: Nantyff 2B 66
CF37: P'prdd 6G 41
CF39: Porth 4D 38
CF48: H'rrig 6D 4
Corporation St. CF47: M Tydfil 5H 5
Corrwg Ct. SA13: G'cwg 2B 64
Corrwg Vs. SA13: Croes 2E 65
Cottesmore Way CF72: C Inn 5A 58
Cottrell St. CF48: A'fan 6A 18
Council St. CF47: M Tydfil 3H 5
County Vw. CF37: R'fln 1C 52
Court Colman St.
CF32: N moel 1G 69
Court Ho. St. CF37: P'prdd 3E 47
Courtland Ter. *CF47: M Tydfil 6G 5*
(off Union St.)
Court St. CF34: Maesteg 4B 66
CF40: T'pandy 3C 36
CF47: M Tydfil 1C 12
Court Ter. *CF47: M Tydfil 1C 12*
(off Twynyrodyn Rd.)
Cowbridge Rd. CF72: P'clun 6C 60
CF72: P'clun, T Grn 3D 60
(not continuous)
CF72: T Grn 6F 57
(not continuous)
Crabapple Cl. CF47: M Tydfil 2F 5
Crabtree Rd. CF40: T'law 4G 37
Crabtree Wlk. CF48: Tre'han 1C 4
Craig Cres. CF39: Porth 2B 44
Craiglas CF32: L'nor 5D 70
Craig St. CF43: P'gwth 6F 31
Craig y Bedw CF34: Caerau 5C 64
Craig-y-Darren CF44: C'dare 6A 10
Craig-y-Llyn Cres.
CF44: C'bach 1G 15
Crawford Cl. CF38: Bed 1D 58
Crawshay Rd. CF40: P'graig 6G 37
Crawshay St. CF37: Y'bwl 6B 32
CF41: Pentre, Ton P 3G 29
CF44: Hirw 1D 8
CREIGIAU 2G 63
Crescent, The CF44: C'dare 5A 10
Cresent St. CF48: M Vale 2B 26
Cribbinddu St. CF37: Y'bwl 1C 40
Criccieth Gro. CF48: M Tydfil 5A 4
Crichton St. CF42: Treh 4E 21
CF42: Treo 6G 21
Crockett Pl. CF37: P'prdd 1C 46
Croescade Rd. CF38: Llan F 6D 50
CROESERW 2F 65
Croeserw Ind. Est.
SA13: Croes 1G 65
Croft, The CF32: L'nor 4A 70
Cromer St. CF44: A'boi 6G 15
Cromwell St. CF47: M Tydfil 5F 5
Cross Blanche St. CF48: Dowl 2C 6
Crossbrook St. CF37: P'prdd 2E 47
Cross Brook St. CF42: B'ndda 1B 20
Cross Francis Ter. CF48: Dowl 2A 6
Cross Houlson St. CF48: Dowl 2B 6
CROSS INN 5A 58
Cross Inn Rd. CF72: L'sant 4H 57
Cross Ivor Ter. CF48: Dowl 2A 6
Cross King St. CF48: Pant 6F 7
Cross Lake St. CF43: Fern 1D 30
Cross Mardy St. CF47: M Tydfil 6A 6
Cross Margaret St.
CF47: M Tydfil 5E 5
Cross Morgan St.
CF47: M Tydfil 5F 5
Cross Morlais St. CF48: Dowl 3A 6
Cross Mt. Pleasant
CF48: T'rhiw 2A 18
Cross Roads CF38: Bed 6B 50
Cross Row *CF40: P'graig 6F 37*
(off Balaclava Ct.)
Cross St. CF34: Maesteg 4D 66
CF37: C'fydd 4H 41
CF37: P'prdd 1F 47
(Trallwng)
CF37: P'prdd 1H 45
(Trehafod)
CF39: Porth 6D 38
CF39: Ynys 2D 38
CF40: P'graig 5F 37
CF40: T'pandy 2C 36
Cross St. CF41: Ystrad 5B 30
CF43: Fern 1D 30
CF44: A'dare 2C 14
CF44: Hirw 1D 8
CF45: A'non 2E 33
CF45: M Ash 5F 25
CF46: T'harris 6F 27
CF48: A'fan 1A 26
CF48: Dowl 2B 6
Cross Thomas St.
CF47: M Tydfil 1C 12
Crossways St. CF37: P'prdd 1F 47
Crosswood St. CF42: Treo 1E 29
Crown Av. CF42: Treo 5G 21
Crown Hill CF38: Llan F 1E 59
Crown Hill Dr. CF38: Llan F 1E 59
Crown Ri. CF34: Maesteg 4E 67
Crown Rd. CF34: Maesteg 4E 66
Crown Row CF34: Maesteg 4D 66
CF44: C'bach 4G 15
Crown Ter. CF42: Treo 5G 21
Crwys Cres. CF37: Up Bo 1C 52
Cuckoo St. CF32: P'mer 5B 68
Curre St. CF44: A'man 3E 15
Cuthbert St. CF32: Ogm V 5G 69
Cwm Alarch CF45: M Ash 2A 24
Cwm Alarch Cl. CF45: M Ash 2B 24
CWMAMAN 5A 14
Cwmaman Rd. CF44: A'man 5E 15
CWMBACH 4H 15
Cwmbach Ind. Est.
CF44: C'bach 4G 15
Cwmbach Rd. CF44: A'dare 1D 14
CF44: C'bach 2F 15
(Brookbank Cl.)
CF44: C'bach 3F 15
(Ynyscynon St.)
Cwmbach Station (Rail) 4G 15
Cwm Cynon Bus. Pk.
CF45: M Ash 4F 25
CWMDARE 6A 10
Cwmdare Rd.
CF44: A'dare, C'dare 6A 10
Cwmdu Rd.
CF34: Maesteg 4E 67 & 4F 67
CF48: T'rhiw 2H 17
Cwmdu St. CF34: Maesteg 4D 66
Cwm Eithin CF46: Nels 4D 34
CWMFELIN
CF34 1F 67
CF46 5F 19
Cwmglo Rd. CF48: H'rrig 6C 4
Cwm Hyfryd CF39: T'fail 1C 48
Cwm Issac CF44: Rhig 5A 8
Cwm Nant-yr-hwch CF44: Peny 3A 10
Cwmneol Pl. CF44: C'man 5A 14
Cwmneol St. CF44: C'man 5A 14
(not continuous)
CWM PARC 3B 28
CWMPENNAR 6C 16
Cwm Saerbren St. CF42: Treh 4D 20
Cwmynysminton Rd.
CF44: L'coed 1A 10
Cwrt Bryn Isaf CF44: Rhig 5A 8
Cwrt Coed Parc
CF34: Maesteg 5D 66
Cwrt Coed-y-Brenin
CF38: Chu V 5G 51
Cwrt Faenor CF38: Bed 2B 58
Cwrt Fforest CF45: M Ash 3E 25
Cwrt Glanrhyd CF44: Rhig 5A 8
Cwrt Glan Wern CF44: C'bach 3G 15
Cwrt Glyndwr CF37: T'rest 5F 47
Cwrt Gwalia CF32: Ogm V 5G 69
Cwrt Llanwonno CF45: M Ash 4D 24
Cwrt Llechau CF72: L'harry 3B 60
Cwrt Maes Cynon CF44: Hirw 1E 9
Cwrt Pentwyn CF38: Llan F 6D 50
Cwrt Tre-Aman CF44: A'man 5F 15
Cwrt Twyn Rhyd CF44: Rhig 5A 8
Cwrt y Fedwen CF34: Maesteg 1F 67
Cwrt y Garth CF38: Bed 2C 58
Cwrt-y-Goedwig CF38: Llan F 6D 50
Cwrt y Mwnws CF34: Maesteg 3C 66
Cwrt Ynysmeurig CF45: A'non 5G 33
Cwrt y Waun CF38: Bed 2C 58
Cyfarthfa Castle & Mus. 4E 5
Cyfarthfa Gdns. CF48: Cefn C 3D 4
(not continuous)
Cyfarthfa Ind. Est.
CF47: M Tydfil 5E 5
Cyfarthfa Rd. CF47: M Tydfil 4E 5
Cymer Rd. CF34: Caerau 4D 64
CYMMER
CF39 1D 44
SA13 1D 64
Cymmer Rd. CF39: Porth 5A 38
CF40: Porth, T'law 5A 38
SA13: G'cwg 2B 64
Cymric Cl. CF44: Peny 3F 9
Cynan Cl. CF38: Bed 1C 58
Cyncoed CF37: Y'bwl 4A 32
Cynllwyndu Rd. CF43: Tylor 4F 31
Cynon Cl. CF44: A'dare 5D 10
Cynon St. CF44: A'man 5F 15
Cynon Ter. CF44: Hirw 2E 9
CF45: M Ash 6F 25
Cynon Vw. CF37: C'fydd 6H 41
Cypress Cl. CF47: M Tydfil 2F 5
Cypress Ct. CF44: A'dare 6B 10
Cypress St. CF37: R'fln 2G 53
Cyrch-y-Gwas Rd.
CF37: T'rest 4G 47
Cyres Cres. CF47: M Tydfil 4G 5

D

Dalton Cl. CF47: M Tydfil 1D 12
Dan Caerlan CF72: L'sant 3A 58
Dane St. CF47: M Tydfil 5F 5
Dane Ter. CF47: M Tydfil 5F 5
Daniel St. CF44: C'bach 2H 15
Dan-y-Bryan CF34: Caerau 4C 64
Dan-y-Bryn CF32: N moel 1H 69
Dan y Bryn CF39: Evan 3B 42
Danybryn CF72: P'clun 3D 60
Danybryn Vs. CF37: T'rest 4F 47
Dan-y-Coed CF35: B'mll 6H 71
Danycoed CF41: Ystrad 5C 30
Dan-y-Coed CF45: M Ash 2E 25
Dan-y-Coedcae Rd.
CF37: P'prdd 4D 46
Danycoed Ter. CF40: T'pandy 2D 36
Dan y Cribyn CF37: Y'bwl 2C 40
Dan-y-Deri CF38: Chu V 5H 51
Danyderi CF44: A'man 5E 15
Dan-y-Deri La. CF48: Cefn C 3C 4
Danyderi Ter. CF48: M Vale 6A 18
Dan-y-Felin CF72: L'sant 4G 57
Dan-y-Gaer Rd.
CF82: G'gaer 1H 35
Dan y Graig CF32: Lew 2H 71
Danygraig CF41: Ystrad 4C 30
Danygraig Cres. CF72: T Grn 4G 57
Danygraig Dr. CF72: T Grn 4G 57
Danygraig Rd. CF72: L'haran 3G 55
Danygraig St. CF37: P'prdd 4D 46
Danygraig Ter. CF39: Ynys 1C 38
CF72: L'haran 4G 55
Danylan Rd. CF37: P'prdd 2C 46
Dan y Mynydd CF32: B'grw 1A 68
Dany Parc CF47: M Tydfil 5G 5
Dan-yr-Allt Cl. CF37: R'fln 2H 53
Dan yr Eglwys CF32: L'nor 5A 70
Dan yr Heol CF32: Lew 3H 71
Dan-yr-Heol CF44: Peny 3H 9
Dan-y-Rhiw CF44: C'man 6A 14
Danyronen CF48: H'rrig 6D 4
Dan yr Parc Vw.
CF47: M Tydfil 5H 5
Dan y Twyn CF46: T'harris 1B 34
Danywern Ter. CF41: Ystrad 4B 30
Dare Ct. CF44: C'dare 6A 10
Daren Cl. CF34: Maesteg 5F 67
Daren Ddu Rd.
CF37: P'prdd, Y'bwl 3C 40
Dare Rd. CF44: C'dare 6A 10
Dare Valley Country Pk. 6H 9
Dare Vs. CF44: A'dare 1B 14
Darran Rd. CF45: M Ash 3D 24
Darran Ter. CF43: Fern 1D 30
Darren Bungs. CF32: P'mer 1A 68
Darren Las CF48: M Vale 3B 26
Darren Pk. CF37: P'prdd 6F 41
Darren Vw. CF34: Pont R 2F 67
CF47: M Tydfil 5H 5
Darren Vw. Ct. CF37: P'prdd 6G 41
David Dower Cl. CF45: A'non 5G 33
David Price St. CF44: A'dare 2C 14
David's Ct. CF72: P'clun 1F 61
David St. CF32: B'grw 1A 68
CF40: P'graig 6G 37
CF40: T'pandy 2D 36
CF42: B'ndda 1B 20
CF42: Treh 4D 20
CF42: Treo 3B 28
CF44: A'dare 6C 10
CF44: C'dare 6A 10
CF47: M Tydfil 2C 12
(Ernest St.)
CF47: M Tydfil 5F 5
(Up. Edward St.)
Davies Cl. CF40: T'law 4A 38
Davies Pl. CF39: Ynys 3C 38
Davies Row CF44: Hirw 1D 8
Davies St. CF39: Porth 5C 38
CF40: T'pandy 3D 36
CF48: Dowl 2B 6

Greenmeadow Ct. CF72: L'sant 5A 58
Greenmeadow Riding Cen. 2A 14
Greenmeadow Ter.
CF32: L'nor 3E 71
CF40: W'twn 1G 43
Green Pk. CF72: P'clun 6D 56
CF72: T Grn 5G 57
Green St. *CF44: A'dare 1C 14*
(off High St.)
Green, The CF48: Tre'han 1D 4
Greenways CF44: A'dare 6G 11
Greenways, The
CF34: Maesteg 6B 66
Greenwood Av.
CF34: Maesteg 6C 66
Greenwood Cl. *CF47: M Tydfil 2D 12*
(off Wheatley Pl.)
Greenwood Dr. CF38: Llan F 6D 50
CF44: Hirw 2F 9
Gresham Pl. CF46: T'harris 1A 34
Greyhound La. CF72: L'sant 4H 57
Greys Pl. CF44: L'coed 2D 10
Griffiths Ter. CF34: Caerau 3C 64
CF48: P'bach 6F 13
(off Dyffryn Rd.)
Griffith St. CF43: Maer 3C 22
CF44: A'dare 2C 14
Griffith Ter. CF48: A'fan 1A 26
Griffth St. CF41: Pentre 3F 29
GROESFAEN 3E 63
Groeswen Rd. CF15: Caer 3G 53
Grongaer Ter. CF37: P'prdd 3D 46
Grosvenor Ter. CF34: Caerau 4C 64
Grovefield Ter. CF40: P'graig 5F 37
Grove Ho. Ct. CF43: P'gwth 6G 31
Grove Pk. CF47: M Tydfil 4F 5
Grovers Cl. CF37: Glyn 3F 41
Grovers Fld. CF45: A'non 6F 33
Grover St. CF37: P'prdd 3D 46
Grove St. CF34: Nantyff 1C 66
Grove Ter. CF37: Y'bwl 1C 40
CF44: A'boi 6G 15
CF46: B'nog 4E 19
CF72: L'haran 4F 55
Grove, The CF37: Glyn 3F 41
CF44: A'dare 2C 14
CF47: M Tydfil 5F 5
CF48: A'fan 5A 18
GURNOS 2F 5
Gurnos Rd. CF47: M Tydfil 3D 4
Gwaelod y Foel CF38: Llan F 5F 51
Gwaelodygarth CF47: M Tydfil 4G 5
Gwaelodygarth Cl.
CF47: M Tydfil 4F 5
Gwaelodygarth La.
CF47: M Tydfil 4F 5
Gwaelod-y-Garth Rd.
CF37: Up Bo 3C 52
Gwaelodygarth Rd.
CF47: M Tydfil 5E 5
(not continuous)
Gwalia Gro. CF37: R'fln 5H 47
Gwalia Pl. *CF47: M Tydfil 5G 5*
(off Penyard Rd.)
Gwalia Ter. CF44: A'man 3E 15
Gwaun-Bant CF32: P'mer 3A 68
Gwaun Bedw CF39: Porth 2C 44
Gwaunfarren Cl. CF47: M Tydfil 3H 5
Gwaunfarren Gro.
CF47: M Tydfil 4G 5
Gwaunfarren Rd.
CF47: M Tydfil 4G 5
Gwaunfarren Swimming Pool 4G 5
Gwaun Llwyfen CF46: Nels 4E 35
Gwaunmiskin Rd. CF38: Bed 6B 50
Gwaun Rd. CF37: R'fln 5H 47
Gwaunruperra Cl.
CF72: L'sant 3H 57
Gwaunruperra Rd.
CF72: L'sant 3H 57
Gwawr St. CF44: A'man 3D 14
Gwendoline St. CF32: B'grw 1A 68
CF32: N moel 2H 69
CF42: Treh 3C 20
CF47: M Tydfil 4G 5
Gwendoline Ter.
CF34: Maesteg 6E 67
CF45: A'non 4G 33
Gwenfron Ter. *CF40: W'twn 1H 43*
(off Edmondstown Rd.)
Gwenllian Ter. CF37: T'rest 1H 51
Gwent Rd. CF37: Up Bo 4E 53
Gwent Ter. CF39: Porth 5C 38
Gwernifor St. CF45: M Ash 4D 24
Gwernllwyn Cl. CF48: Dowl 3A 6
Gwernllwyn Ter. CF43: Tylor 3F 31
Gwernllwyn Uchaf CF48: Dowl 2B 6
Gwernllyn Rd. CF48: Dowl 2B 6
Gwili Rd. CF37: Up Bo 2D 52
Gwilym St. CF37: R'fln 1H 51
Gwilym Ter. CF47: M Tydfil 2C 12
Gwlad du Gwyrdd CF39: Gilf G 6B 42
Gwladys CF48: Pant 1B 6
Gwladys St. CF44: Peny 4H 9
CF47: M Tydfil 4H 5
Gwyn Coedglas CF44: Peny 3G 9
Gwynedd Av. SA13: Croes 2F 65
Gwynfan Pl. *CF47: M Tydfil 2C 12*
(off Pease La.)
Gwynfi St. SA13: B'gnfi 5F 65
Gwynfi Ter. CF72: L'haran 4G 55
Gwynnes Cl. CF47: M Tydfil 5G 5
Gwyn St. CF37: T'rest 6G 47
Gyfeillon Rd. CF37: P'prdd 6A 40
Gynor Av. CF39: Porth 4C 38
Gynor Pl. CF39: Ynys 4C 38

H

Hadrian's Cl. CF82: G'gaer 1H 35
Hafandeg *CF15: N'grw 6G 53*
(off Caerphilly Rd.)
Hafan Deg CF34: Maesteg 1E 67
Hafandeg CF44: L'coed 3D 10
Hafan Heulog CF37: Glyn 2F 41
Hafod CF72: L'sant 2E 57
Hafod La. CF37: P'prdd 6G 39
Hafod St. CF48: P'bach 6F 13
Hafod, The CF48: Pant 1B 6
Hafod Wen CF39: T'fail 5B 44
CF44: C'dare 6A 10
Halifax Ter. CF42: Treh 2B 20
Hall St. CF44: A'dare 1C 14
Halswell St. CF45: M Ash 1D 32
Halt Cl. CF44: Rhig 4B 8
Halt Rd. CF44: Hirw, Rhig 4B 8
Hamilton St. CF45: M Ash 2C 24
CF48: P'bach 5E 13
Hamilton Ter. CF34: Caerau 3E 65
Hampton Pl. *CF47: M Tydfil 1C 12*
(off Rees St.)
Hampton St. CF47: M Tydfil 1C 12
Hankey Pl. CF47: M Tydfil 2C 12
Hankey Ter. CF47: M Tydfil 3C 12
Hannah St. CF39: Porth 6D 38
Hanover St. CF47: M Tydfil 5F 5
Harcombe Rd. CF40: L'nypia 1G 37
Harcourt Rd. CF45: M Ash 2C 24
Harcourt Ter. CF45: M Ash 4E 25
Harlech Dr. CF48: M Tydfil 5A 4
Harlech Pl. CF44: A'dare 2B 14
Harold St. CF72: L'haran 5F 55
Harriet St. CF44: A'dare 5C 10
Harriet Town CF48: T'rhiw 2H 17
Harrison St. CF47: M Tydfil 3H 5
Harris St. CF44: Hirw 2D 8
Harris Ter. CF45: M Ash 6F 25
Harris Vw. CF45: M Ash 6F 25
Hartshorn Ter. CF34: Caerau 3C 64
Harvey St. CF34: Maesteg 4D 66
Haul Fron CF40: W'twn 1G 43
Haulfryn CF44: Peny 3G 9
Haulwen CF44: C'dare 6B 10
Haven Cl. CF48: T'rhiw 3H 17
Haven, The CF44: Hirw 2D 8
Hawarden Ter. CF48: T'rhiw 2H 17
HAWTHORN 1A 52
Hawthorn Cres. CF37: R'fln 1B 52
Hawthorn Av. CF47: M Tydfil 3F 5
Hawthorne Ter. CF44: A'dare 2C 14
Hawthorn Hill CF48: Tre'han 1C 4
Hawthorn Leisure Cen. 1A 52
Hawthorn Pk. CF72: B'nna 4D 54
Hawthorn Ri. CF44: C'dare 6B 10
Hawthorn Rd. CF37: R'fln 1B 52
CF46: Nels 5F 35
CF72: L'harry 4A 60
Hawthorns, The CF48: Pant 6F 7
Hawthorn Ter. CF45: M Ash 5E 25
Haydn Ter. CF47: M Tydfil 3H 5
Hazel Ct. CF39: T'fail 5B 44
Hazel Dr. CF44: A'dare 1A 14
Hazel Ter. CF45: M Ash 5F 25
CF48: T'rhiw 1H 17
H Cefn-yr Hendy CF72: P'clun 2G 61
Heads of the Valleys Rd.
CF44: Hirw 2E 9
CF48: Cefn C, M Tydfil 3B 4
CF48: Dowl, Rhym 2H 5
CF48: M Tydfil 4A 4
Hearts of Oak Cotts.
CF34: Nantyff 6C 64
Heath Cl. CF44: C'bach 2F 15
Heath Cres. CF37: P'prdd 2D 46
Heather Cl. CF40: T'law 3F 37
Heather Rd. CF47: M Tydfil 2D 4
Heather Vw. Rd. CF37: P'prdd 1G 47
Heather Way CF39: Porth 6E 39
Heathfield Cres. CF72: B'cae 5E 55
Heathlands, The CF39: Gilf G 5C 42
Heathland Vs. CF37: T'rest 4G 47
Heath Ter. CF37: P'prdd 2D 46
CF39: Ynys 2D 38
Heddwch Cl. CF48: Pant 1A 6
Hedre Ter. CF40: P'graig 5G 37
Hendre Av. CF32: Ogm V 3G 69
Hendrecafn Rd. CF40: P'graig 5E 37
Hendrefadog St. CF43: Tylor 3F 31
HENDREFORGAN 6C 42
Hendreforgan Cres.
CF39: Hend 6C 42
Hendregwilym CF40: P'graig 6F 37
Hendrewen Rd. CF42: B'cwm 3A 20
HENDY 2H 61
Henllys CF39: Porth 3B 44
Henry Richard St.
CF48: T'rhiw 2A 18
Henry St. CF37: P'prdd 1C 46
CF44: A'man 3D 14
CF45: M Ash 2D 24
HENSOL HOSPITAL 6H 61
Hensol Rd. CF72: Hens 5H 61
CF72: P'clun 3G 61
Hensol Vs. CF72: Hens 6A 62
Henwysg Cl. CF37: P'prdd 1C 46
Heolaelfryn CF32: Lew 3H 71
Heol Alfred CF43: Maer 5D 22
Heol Aneurin CF39: T'fail 6A 44
Heol Appryce CF38: Bed 1C 58
Heol Arfryn CF32: L'nor 6B 70
Heol Bedw CF39: Porth 1D 44
Heol Billingsley CF15: N'grw 5F 53
Heol Bonymaen CF48: Pant 6F 7
Heol Bradford CF32: L'nor 5B 70
Heol Brofiscin CF72: Groes F 2D 62
Heol Brychan CF48: M Tydfil 4B 4
Heol Bryn CF44: Peny 3G 9
Heol Bryn Fab CF46: Nels 4D 34
Heol Bryn Glas CF38: Llan F 6F 51
Heol Bryn-Gwyn SA13: G'cwg 1A 64
Heol Bryn Hebog
CF48: M Tydfil 4B 4
Heol Bryn Heulog CF38: Llan F 5F 51
Heol Brynhyfryd CF38: Llan F 6D 50
Heol Brynman CF48: M Tydfil 4B 4
Heol Brynmoor John
CF38: Chu V 4F 51
Heol Brynnau CF44: C'dare 6A 10
Heol Bryn Padell
CF48: M Tydfil 4B 4
Heol Bryn Selu CF48: M Tydfil 4B 4
Heol Brynteg CF39: T'fail 1D 48
Heol Bryn-y-Gwyddyl
CF48: M Tydfil 4C 4
Heol Cadrawd CF34: Pont R 3F 67
Heol Cae-Defaid
CF34: Maesteg 4E 67
Heol Caerlan CF38: Bed 1B 58
Heol Capel CF39: T'fail 5A 44
Heol Caradoc CF44: Peny 3H 9
Heol Cawrdaf CF38: Bed 1C 58
Heol Cefn Ydfa CF34: Maesteg 6B 66
Heol Ceiriog CF39: Ynys 6H 31
Heol Celyn CF38: Chu V, Tont 4H 51
Heol Celynen CF37: Glyn 3F 41
Heol Cerdin CF34: Maesteg 1F 67
Heol Ceulanydd CF34: Caerau 3C 64
Heol Clwyddau CF38: Bed 2C 58
Heol Coflorna CF46: T'harris 1C 34
Heol Coroniad CF38: Bed 6C 50
Heol Creigiau CF15: Cre 5F 59
CF15: E Isaf 2F 59
CF38: E Isaf 2F 59
Heol Crochendy CF15: N'grw 4E 53
Heol-Croeserw SA13: Croes 1F 65
Heol Cronfa CF37: C'fydd 5H 41
Heol Cynan CF34: Pont R 3F 67
Heol Cynllan CF72: L'haran 5F 55
Heol Cynwyd CF34: Pont R 3F 67
Heol Dafydd CF72: P'clun 2E 61
Heol Dderwen CF38: Tont 3A 52
Heol Ddeusant CF38: Bed 1B 58
Heol Ddu CF72: L'sant 5A 50
Heol Deg CF38: Tont 4H 51
Heol Deri CF39: T'fail 1C 48
Heol Dewi CF72: B'nna 4C 54
Heol Dewi Sant CF32: L'nor 5A 70
Heol Dowlais CF38: E Isaf 2F 59
Heol Dyfed CF34: Maesteg 5F 67
CF38: Bed 2B 58
CF43: P'rhys 5E 31
CF44: Peny 3A 10
Heol Dyfodwg CF72: L'sant 3H 57
Heol Dyhewydd CF38: Llan F 6D 50
Heol Edward Lewis
CF82: G'gaer 1H 35
Heol Edwards CF15: N'grw 5G 53
Heol Elfed CF34: Maesteg 5E 67
Heol Esgyn CF44: Rhig 5A 8
Heol Fach CF15: N'grw 5G 53
Heol Faen CF34: Maesteg 5E 67
Heol Faenor CF38: Bed 2B 58
Heol Fawr
CF46: Nels, Ystrad 4E 35 & 6H 35
Heol Ffrwd Philip CF38: E Isaf 2H 59
Heol Ganol CF32: N moel 1H 69
Heol Gelli Lenor
CF34: Maesteg 6B 66
Heol Gelynen CF44: Peny 3G 9
Heol Gelynog CF38: Bed 1C 58
HEOLGERRIG 6C 4
Heolgerrig CF48: H'rrig 6C 4
Heol Glan Elai CF72: P'clun 3E 61
Heol Glannant CF32: L'nor 4A 70
CF40: W'twn 2H 43
Heol Glyncoch CF39: Hend 6D 42
Heol Glynpandy CF32: L'nor 5C 70
Heol Goronwy CF39: Ynys 6H 31
Heol Groeswen CF37: Up Bo 2D 52
Heol Gwrangfryn CF44: Rhig 6A 8
Heol Gwrgan CF38: Bed 1B 58
Heol Gwynno CF72: L'sant 3H 57
Heol Harry Lewis CF46: Nels 4D 34
Heol Haulfryn CF39: T'fail 1D 48
Heol Hendy CF72: P'clun 2G 61
Heol Hensol CF38: Bed 1C 58
Heol Heulog CF39: Evan 4B 42
Heol Horeb CF39: Porth 1C 44
Heol Ida CF38: Bed 6C 50
Heol Illtyd CF72: L'sant 3H 57
Heol Ioan CF43: P'rhys 5E 31
Heol Isaf CF39: T'fail 3E 49
CF46: Nels 4F 35
CF46: T'lewis 5G 27
Heol Isaf Hendy CF72: P'clun 2G 61
Heol Iscoed CF38: E Isaf 2G 59
Heol Islwyn CF39: T'fail 5A 44
CF46: Nels 4D 34
Heol Johnson CF72: T Grn 5F 57
Heol Kier Hardie CF44: Peny 3H 9
Heol Las. CF72: L'sant 3G 57
Heol Llangeinor CF32: L'nor 4D 70
Heol Llechau CF39: Ynys 6H 31
Heol Llwyn Brain
CF48: M Tydfil 4C 4
Heol Llwyn Deri CF48: M Tydfil 4C 4
Heol Llwyn Drysi
CF48: M Tydfil 4C 4
Heol Llwyndyrus CF34: Pont R 3E 67
Heol Llwynffynnon CF32: L'nor 4D 70
Heol Llwyn Gollen
CF48: M Tydfil 4C 4
Heol Llwyn Onnen
CF48: M Tydfil 4C 4
Heol Llyswen CF46: Nels 3E 35
Heol Lodwig CF38: Chu V 5G 51
Heol Mabon CF46: Nels 4D 34
Heol Mair CF43: P'rhys 5E 31
Heol Miles CF72: T Grn 5F 57
Heol Miskin CF72: P'clun 1F 61
Heol Morien CF46: Nels 4D 34
Heol Mwyrdy CF38: Bed 1B 58
Heol Mynydd CF37: C'fydd 5H 41
CF38: Tont 4A 52
Heol Nant CF37: C'fydd 5H 41
CF38: Chu V, Tont 4H 51
CF44: C'dare 5A 10
Heol Nant Caiach
CF46: T'harris 1C 34
Heol Nantgau CF48: M Tydfil 4B 4
Heol Neuadd Domos
CF34: Maesteg 1E 67
Heol Orchwy CF42: Treo 6H 21
Heol Pandy CF32: L'nor 5C 70
Heol Pant Gwyn CF72: L'harry 6B 60
Heol Pant-y-Gored
CF15: Cre, P'rch 2G 63
Heol Pantyrawel CF32: Lew 4G 71
Heol Parc Glas CF48: M Tydfil 4B 4
Heol Parc Maen CF48: M Tydfil 4C 4
Heol Parc-y-Lan CF48: M Tydfil 4C 4
Heol Pardoe CF15: N'grw 4F 53
Heol Pencerdd CF34: Maesteg 5F 67
Heol Pendarren CF44: Rhig 5A 8
Heol Pendyrus CF43: P'rhys 5D 30
Heol-Pen-Nant *CF44: A'dare 5G 11*
(off Aber-Nant Rd.)
Heol Penrhiw CF45: M Ash 6B 16
CF48: M Tydfil 4B 4
Heol Pentre CF34: Maesteg 6B 66
Heol Pentwyn CF39: T'fail 1D 48
Heol Pen-y-Bryn CF43: P'rhys 5E 31
Heol Pen-y-Foel CF37: Glyn 3F 41
Heol Pen-y-Parc CF37: Glyn 2F 41
CF72: L'sant 4H 57
Heol Persondy CF32: L'nor 5A 70
Heol Pont y Seison
CF46: Nels, Ystrad 5H 35

Maerdy Rd. Ind. Est.—Mynydd Golwg

Maerdy Rd. Ind. Est.
CF43: Maer 5F 23
Maes Bedw CF39: Porth 1C 44
Maes Brynna CF44: C'dare 6A 10
Maes Cadwgan CF15: Cre 2G 63
Maes Cefn Mabley
CF72: L'sant 3H 57
Maes Coed Rd. CF37: P'prdd 3D 46
Maescynon CF44: Hirw 1E 9
Maesffynon Gro. CF44: A'man 3D 14
Maes Ganol CF37: R'fln 1C 52
Maesglas CF32: L'nor 5B 70
Maes Glas CF37: Glyn 3F 41
Maesgwyn CF34: Maesteg 5F 67
CF44: C'dare 5A 10
Maes Gwynne CF48: Cefn C 4D 4
Maeshyfryd CF44: C'bach 4H 15
Maes Maelwg CF38: Bed 1B 58
Maesmelyn CF44: C'dare 6A 10
Maes Sarn CF72: L'sant 3H 57
Maestaf St. CF48: P'bach 5E 13
MAESTEG 4C 66
Maesteg Business Cen.
CF34: Maesteg 3A 66
MAESTEG COMMUNITY HOSPITAL
. . . . .3A 66
Maesteg Cres. CF38: Tont 4A 52
Maesteg Ewenny Road Station (Rail)
. . . . .5D 66
Maesteg Gdns. CF38: Tont 4A 52
Maesteg Gro. CF38: Tont 4A 52
Maesteg Rd.
CF34: Maesteg, Pont R 1E 67
SA13: Croes, G'mmer 1E 65
Maesteg Row CF34: Maesteg 5D 66
Maesteg Sports Cen. 3B 66
Maesteg Station (Rail) 4C 66
Maesteg Swimming Pool 4C 66
Maestic Rd. SA13: G'mmer 1E 65
Maes Trane CF38: Bed 1C 58
Maes Trisant CF72: T Grn 5G 57
(not continuous)
Maes Uchaf CF37: R'fln 1C 52
Maes-y-Bedw CF46: B'nog 3D 18
Maes-y-Bryn CF39: T'fail 5A 44
MAESYCOED 3C 46
Maes-y-Coed CF44: C'dare 6A 10
Maes Y Coed CF46: T'lewis 1D 34
Maesycoed Rd.
CF37: P'prdd 2D 46
Maes-y-Dderwen CF15: Cre 3G 63
CF34: Nantyff 1C 66
Maes-y-Deri CF37: P'prdd 1C 46
CF44: A'man 5F 15
MAES-Y-DRE 6E 11
Maes y Felin CF37: R'fln 1C 52
Maes y Ffynnon CF48: Dowl 3B 6
(off Market St.)
Maes-y-Ffynnon La.
CF44: A'man, A'dare 3C 14
Maesyffynon Ter.
CF40: T'law 4G 37
MAES-Y-GARREG 3C 4
Maes-y-Gollen CF15: Cre 2G 63
Maes y Grug CF38: Chu V 4G 51
Maes-y-Nant CF15: Cre 2F 63
Maes-yr-Afon CF72: P'clun 3E 61
Maes-yr-Awel CF34: Caerau 3C 64
Maes yr Awel CF37: R'fln 1C 52
Maes yr Haf CF44: L'coed 3D 10
Maes-yr-Haf CF47: M Tydfil 6H 5
Maes yr Hafod CF15: Cre 2G 63
Maes yr Haul Cotts.
CF72: C Inn 5A 58
(off Taff Cotts.)
Maes-y-Rhedyn CF15: Cre 3G 63
Maes y Rhedyn CF43: Maer 5D 22
Maes-y-Rhedyn CF72: T Grn 5F 57
Maes yr Helig CF44: L'coed 3C 10
Maes-yr-Onen CF46: Nels 3D 34
Maes-yr-Onnen CF15: Cre 3G 63
Maes-y-Wennol CF72: P'clun 1H 61
Mafon Rd. CF46: Nels 4D 34
Magazine St. CF34: Caerau 5C 64
Magnolia Cl. CF39: Porth 6E 39
CF47: M Tydfil 2F 5
Magnolia Way CF38: Llan F 1E 59
Maiden St. CF34: Maesteg 6D 66
Main Av. CF37: N'grw, Up Bo 3D 52
CF44: Hirw 4C 8
Maindy Ct. CF38: Chu V 4G 51
Maindy Cres. CF41: Ton P 3F 29
Maindy Cft. CF41: Ton P 3F 29
Maindy Gro. CF41: Ton P 4F 29
Maindy Rd. CF41: Ton P 3F 29
Main Rd. CF38: Chu V, Tont 5G 51
CF45: A'non 2E 33
CF45: M Ash 1D 32
CF72: C Inn 5A 58
CF72: Groes F 2D 62
Malus Av. CF38: Llan F 2E 59
Manchester Pl. CF44: Hirw 2D 8
Mandeg CF46: T'lewis 1D 34
Mangoed CF44: Peny 3G 9
Manley Cl. CF39: T'fail 6A 44
Manorbier Cl. CF38: Tont 3H 51
Manor Chase CF38: Bed 2B 58
Manor Ct. CF38: Chu V 4G 51
Manor Hill CF72: P'clun 2H 61
Manor Pk. CF35: B'nna 5B 54
Mansfield Ter. CF47: M Tydfil 6A 6
Maple Cl. CF47: M Tydfil 3F 5
CF72: L'harry 6B 60
Maple Ct. CF39: T'fail 6B 44
Maple Cres. CF48: Tre'han 1D 4
Maple Dr. CF44: A'dare 6B 10
Maple St. CF37: R'fln 2G 53
Maple Ter. CF34: Maesteg 5C 66
Mardy CF72: L'sant 2E 57
Mardy Cl. CF47: M Tydfil 2D 12
Mardy St. CF47: M Tydfil 6A 6
Mardy Ter. CF47: M Tydfil 2C 12
(off Railway Ter.)
Margam St. CF34: Caerau 5D 64
SA13: G'mmer 1D 64
Margarets Cwrt CF44: A'dare 2C 14
(off Elizabeth St.)
Margaret St. CF37: P'prdd 1H 45
(Trehafod)
CF37: P'prdd 1B 46
(Troedrhiw-Trwyn)
CF41: Pentre 2F 29
CF42: Treh 3C 20
CF43: P'gwth 1A 38
CF44: A'boi 6H 15
CF44: A'dare 5C 10
Margaret St. CF44: A'man 5E 15
CF45: A'non 5G 33
CF47: M Tydfil 5E 5
Margaret ter. SA13: B'gnfi 6G 65
Marian St. CF32: B'grw 1A 68
CF40: T'pandy 3A 36
Marigold Cl. CF47: M Tydfil 2E 5
Maritime Ind. Est.
CF37: P'prdd 4C 46
Maritime St. CF37: P'prdd 3D 46
Maritime Ter. CF37: P'prdd 3D 46
Marjorie St. CF40: T'law 5H 37
Market Sq. CF47: M Tydfil 6F 5
(off Graham Way)
Market St. CF37: P'prdd 2E 47
CF44: A'dare 1C 14
CF48: Dowl 3B 6
Market, The CF37: P'prdd 2E 47
Marlborough Cl. CF38: Llan F 1F 59
Marshall Cres. CF47: M Tydfil 2H 5
Marshfield Ct. CF39: T'fail 6B 44
Marshfield Rd. CF43: Maer 5E 23
Martin Cl. CF48: H'rrig 6C 4
Martin Cres. CF39: T'fail 6A 44
Martins Cl. CF45: A'non 5G 33
Martins La. CF45: A'non 5G 33
Martin's Ter. CF45: A'non 5G 33
Mary St. CF37: C'fydd 4H 41
CF39: Porth 5D 38
CF42: Treh 4E 21
CF44: A'boi 6H 15
CF44: A'dare 2C 14
CF45: M Ash 3E 25
CF46: B'nog 4E 19
CF46: T'harris 1A 34
CF47: M Tydfil 1C 12
CF48: Dowl 3A 6
SA13: B'gnfi 5G 65
Masefield Way CF37: R'fln 1G 53
Masonic St. CF47: M Tydfil 6F 5
Mason St. CF44: A'man 4E 15
Matexa St. CF41: Ton P 4F 29
Matthews St. SA13: G'cwg 1B 64
Mattie, The CF42: Treo 2D 28
MAVRID WOODBURY 3H 63
Maxwell St. CF43: Fern 1D 30
Mayfield Pl. CF72: L'sant 5A 58
Mayfield Rd. CF37: P'prdd 1D 46
Maywood CF72: B'nna 4D 54
(not continuous)
Meadowbank Cl. CF44: C'bach 2F 15
Meadow Cl. CF39: T'fail 2C 48
CF45: M Ash 2B 24
CF72: L'haran 4F 55
Meadow Ct. CF47: M Tydfil 2D 12
Meadow Cres. CF38: Tont 4A 52
Meadow La. CF39: Gilf G 5B 42
CF44: Hirw 1C 8
Meadow Ri. CF72: B'nna 3E 55
Meadow St. CF32: Ogm V 6G 69
CF32: P'mer 4A 68
CF34: Maesteg 4C 66
CF37: T'rest 5G 47
CF39: Gilf G 5B 42
Meadow Vw. CF35: B'mll 5H 71
Meadow Wlk. CF41: Ystrad 4H 29
Meirion Pl. CF48: H'rrig 6D 4
(off Heolgerrig)
Meirion St. CF44: A'dare 6D 10
Meirios Valley Trekking Cen. 3G 55
Melbourne Ter. CF72: B'nna 4D 54
Melyn Fach SA13: G'cwg 1B 64
(off Melyn St.)
Melyn St. SA13: G'cwg 1B 64
Menai Av. SA13: Croes 2E 65
Menai Cl. CF38: Tont 3G 51
Menelaus Sq. CF48: Dowl 3B 6
(off Lwr. Union St.)
Merchant St. CF44: A'dare 2C 14
Merion St. CF40: P'graig 6G 37
Merlin Cl. CF37: P'prdd 2D 46
(off Pwll-Gwaun Rd.)
Merthyr Rd. CF37: P'prdd 2F 47
CF44: Hirw 2D 8
CF44: L'coed 3C 10
CF47: M Tydfil 4H 5
CF48: P'bach 3D 12
CF48: T'rhiw 1H 17
Merthyr St. CF72: P'clun 1F 61
MERTHYR TUDFUL 6F 5
MERTHYR TYDFIL 6F 5
Merthyr Tydfil F.C. (Penndarren Pk.)
. . . . .5F 5
MERTHYR VALE 1B 26
Merthyr Vale Station (Rail) 2B 26
Merthy Tydfil Ind. Pk.
CF48: P'bach 6E 13
Mervyn St. CF37: R'fln 6H 47
CF48: A'fan 6A 18
Metcalfe St. CF34: Caerau 5C 64
Meyler St. CF39: T'fail 2D 48
Meyricks Row CF40: W'twn 2G 43
Meyrick Vs. CF47: M Tydfil 4F 5
Michael Sobell Sports Cen. 2D 14
Michael's Rd. CF42: B'cwm 3A 20
Middle Row CF43: Fern 5H 23
CF45: M Ash 6C 16
Middle St. CF37: P'prdd 1F 47
Middle Ter. CF43: Tylor 5G 31
Middleton St. SA13: B'gnfi 5G 65
Midway Pk. CF37: Up Bo 2D 52
Mikado St. CF40: P'graig 5F 37
Milbourne Cl. CF47: M Tydfil 2D 12
Milbourne St. CF40: P'graig 5G 37
CF45: M Ash 1D 32
Milbourne Ter.
CF47: M Tydfil 2D 12
Mildred Cl. CF38: Bed 6C 50
Mildred St. CF38: Bed 6C 50
Miles St. CF43: Maer 4C 22
CF47: M Tydfil 5F 5
Milford Cl. CF38: Tont 3H 51
Millers Row CF46: T'harris 2A 34
Millfield CF46: T'harris 1C 34
CF72: P'clun 2E 61
Mill La. CF72: L'haran 4G 55
Mill Rd. CF37: Y'bwl 4A 32
CF45: M Ash 1B 24
Mill Row CF72: L'haran 4G 55
Mill St. CF34: Maesteg 1E 67
CF37: P'prdd 2D 46
(not continuous)
CF39: T'fail 1D 48
CF41: Ystrad 5B 30
CF44: A'dare 5C 10
CF46: T'harris 1B 34
Mill Vw. CF34: Maesteg 6F 67
Milton Cl. CF38: Bed 1C 58
Milton Pl. CF47: M Tydfil 1C 12
Milton St.
CF44: A'man, C'man 5A 14
Milton Ter. CF47: M Tydfil 1C 12
(off Windsor Ter.)
Miners Row CF44: L'coed 3C 10
Minffrwd Rd.
CF35: P'coed, Rhiwc 5A 54
Min y Coed CF32: Lew 2H 71
MISKIN
CF45 . . . . .4E 25
CF72 . . . . .3H 61
Miskin Cres. CF72: P'clun 2H 61
Miskin Rd. CF40: T'law 3F 37
CF45: M Ash 3D 24
Miskin St. CF42: Treh 3C 20
Miskin Ter. CF45: M Ash 3E 25
Mission Rd. CF34: Maesteg 6E 67
Mitchell Cres. CF47: M Tydfil 2H 5
Mitchell Ter.
CF37: P'prdd, T'rest 3F 47
Model House Craft & Design Cen.
. . . . .4H 57
(off Bull Ring)
Moel Gilau CF32: L'nor 2A 70
Moira Ter. CF32: Ogm V 5G 69
Mona Pl. CF43: Maer 3C 22
Monica St. CF34: Maesteg 5D 66
Monk St. CF44: A'dare 2B 14
Monmouth Cl. CF38: Tont 3H 51
Monmouth Dr. CF48: M Tydfil 5A 4
Monmouth St. CF45: M Ash 6F 25
Montana Pk. 2E 9
Monumental Ter. CF48: Cefn C 2C 4
(off St John's Cl.)
Moorland Cl. CF44: Hirw 2F 9
Moorland Cres. CF38: Bed 6C 50
Moorland Hgts.
CF37: P'prdd 3G 47
Morgan Ct. CF40: L'nypia 6D 30
Morgan Jones Sq.
CF48: T'rhiw 2A 18
Morgannwg St. CF37: P'prdd 1H 45
Morgan Row CF44: C'bach 3H 15
Morgans Ct. CF44: A'dare 5C 10
(off Llewellyn St.)
Morgan St. CF37: P'prdd 2E 47
CF39: Porth 6D 38
CF44: A'dare 1B 14
CF45: M Ash 4E 25
CF47: M Tydfil 5F 5
CF48: Dowl 3A 6
Morgan Ter. CF39: Porth 6D 38
CF42: Treo 2B 28
MORGAN TOWN 5F 5
Moriah Pl. CF44: L'coed 3C 10
Moriah St. CF46: B'nog 4E 19
CF47: M Tydfil 5F 5
Morien Cres. CF37: R'fln 5H 47
Morlais Cl. CF48: M Tydfil 4A 4
Morlais St. CF48: Dowl 2A 6
CF48: P'bach 5E 13
Morrell St. CF47: M Tydfil 1C 12
Morris Av. CF45: M Ash 5F 25
Morris St. CF34: Maesteg 4C 66
CF42: Treh 4E 21
CF44: C'man 5A 14
Morris Ter. CF43: Fern 6G 23
Morton Ter. CF40: T'pandy 2A 36
Moss Pl. CF44: A'dare 5F 11
Moss Row CF44: A'dare 5F 11
Mostyn Cl. CF72: B'nna 4D 54
Mound Rd. CF37: P'prdd 3C 46
MOUNTAIN ASH 3D 24
MOUNTAIN ASH HOSPITAL 1D 24
Mountain Ash Rd.
CF45: A'non 5F 33
Mountain Ash Station (Rail) 2D 24
MOUNTAIN HARE 6H 5
Mountain Riwy CF48: Pant 5E 7
Mountain Rd.
CF40: P'graig, W'twn 6G 37
CF44: C'man 5A 14
Mountain Row CF43: Fern 5H 23
Mountain Vw. CF37: R'fln 5H 47
CF39: T'fail 1A 48
CF40: L'nypia 1F 37
CF42: Treh 3C 20
Mountain Way CF46: Nels 5F 35
Mt. Hill Cl. CF44: A'man 4E 15
Mt. Hill St. CF44: A'man 4E 15
Mt. Libanus St. CF42: Treh 4E 21
MOUNT PLEASANT 4C 38
Mt. Pleasant CF32: B'grw 1A 68
Mt. Pleasant CF37: P'prdd 1G 45
CF44: A'dare 5C 10
Mt. Pleasant CF44: Hirw 1C 8
Mt. Pleasant CF46: B'nog 4E 19
Mt. Pleasant CF48: H'rrig 6C 4
CF48: M Vale 3B 26
CF48: T'rhiw 2A 18
Mt. Pleasant Pl. CF45: M Ash 4E 25
Mt. Pleasant Rd.CF39: Porth 5C 38
Mt. Pleasant St. CF44: A'dare 5C 10
CF48: Dowl 3A 6
Mt. Pleasant Ter.
CF45: M Ash 4E 25
Mount St. CF44: A'man 4E 15
CF47: M Tydfil 5F 5
Mount Ter. CF47: M Tydfil 5F 5
Mount Vw. CF47: P'bach 6A 6
CF48: M Vale 3B 26
(not continuous)
Moy Rd. CF48: A'fan 6H 17
Mr Speakers Way
CF40: P'graig 5G 37
Mulberry Cl. CF38: Llan F 2E 59
Muni Art Cen. 2E 47
Muriel Ter. CF46: B'nog 4F 19
CF48: Dowl 2B 6
Murrells Cl. CF38: Llan F 1F 59
MWYNDY 1A 62
Mwyndy Ter. CF72: Groes F 1A 62
Mynachdy Rd. CF37: Y'bwl 4A 32
Mynydd Glas CF34: Nantyff 6C 64
Mynydd Golwg CF32: Lew 2H 71

Pavilion Ind. Est.—Radnor Way

Pavilion Ind. Est.
CF45: M Ash 3D 24
Pearce's Ct. CF48: Cefn C 3C 4
Pearson Cres. CF37: Glyn 4E 41
Pease La. CF47: M Tydfil 2C 12
Pembroke Cl. CF38: Tont 3H 51
CF48: M Tydfil 5A 4
Pembroke Cres. CF72: L'sant 2E 57
Pembroke Pl. CF47: M Tydfil 4H 5
Pembroke St. CF44: A'dare 1C 14
CF48: T'rhiw 1A 18
Pembroke Ter. CF32: N moel 1H 69
Pembrook St. CF39: T'fail 3D 48
Penallta Community Pk. 3H 35
Penbryn Coch CF72: L'harry 3A 60
Pen Bryn Hendy CF72: P'clun 2G 61
Pencai Ter. CF42: Treo 2D 28
Pencerrig St. CF37: P'prdd 2D 46
Pencoed Av. CF37: P'prdd 2G 47
Pen Darren CF39: Porth 2A 44
Pendarren St. CF44: A'dare 2B 14
Penderyn Pl. CF44: A'man 3D 14
Penderyn Rd. CF44: Hirw 1C 8
SA13: Croes 2F 65
Pen Dinas CF40: T'law 5H 37
Pendoylan Rd. CF72: Groes F 3C 62
Pendre Cres. CF72: L'haran 3F 55
Pengarnddu Ind. Est.
CF48: Pant 1D 6
Pengurnos CF47: M Tydfil 2E 5
Pen Hendy CF72: P'clun 2G 61
Penheol Ely Rd.
CF37: P'prdd 1G 47
Penheolferthyr CF47: M Tydfil 1D 12
Penhydd Rd. SA13: Croes 2F 65
PEN-IARD 5H 5
Penlan St. CF48: P'bach 5F 13
Penlan Vw. CF48: M Tydfil 1A 12
Pen Llew Ct. CF44: A'dare 6B 10
Penllwyngwent Ind. Est.
CF32: Ogm V 4G 69
Penlocks CF46: T'harris 2A 34
Penmain St. CF39: Porth 5C 38
Penmark Row CF44: Hirw 1C 8
Penndarren Pk. 5F 5
Penn St. CF46: T'harris 6F 27
Pen Parcau CF32: L'nor 4A 70
Penpisgah Rd. CF40: P'graig 5F 37
Pen-Pych Cl. CF42: B'ndda 2B 20
PENRHIWCEIBER 5E 25
Penrhiwceiber Rd.
CF45: M Ash 4E 25
Penrhiwceiber Station (Rail) 5G 25
Penrhiw-Fer Rd. CF39: T'fail 3G 43
CF40: T'fail, W'twn 3G 43
CF40: W'twn 1G 43
Penrhiwgwynt Rd.
CF39: Porth 6D 38
Penrhiw Rd. CF37: P'prdd 4D 46
CF41: Gelli 5G 29
PENRHYS 5E 31
Penrhys Rd. CF41: Ystrad 5C 30
CF43: P'rhys, Tylor, Ystrad . . . 5C 30
Penrhys Uchaf CF43: P'rhys 5E 31
Penry St. CF48: M Tydfil 6F 5
PENTRE 2F 29
PENTREBACH 3G 47
. . . . 5F 13
Pentrebach Ind. Est.
CF48: P'bach 4E 13
Pentrebach Rd.
CF37: P'prdd, R'fln 3G 47
CF48: M Tydfil 3C 12
Pentre-bach Station (Rail) 5D 12
Pentrebeili Pl. CF32: Lew 2H 71
Pentrebeili Ter. CF32: Lew 2H 71
Pentre Rd. CF41: Pentre 2F 29
CF43: Maer 4C 22
Pentwyn Av. CF45: M Ash 1C 32
Pentwyn Ct. CF44: Peny 2G 9
Pentwyn Deintyr
CF46: T'harris 2A 34
Pen-Twyn Rd.
CF42: Pentre, Ton P, Treo 2D 28
Pentwyn Rd. CF46: T'harris 2C 34
Pentwyn Vs. CF47: M Tydfil 4F 5
Pentyla CF34: Maesteg 3B 66
Pen Tyntyla CF43: P'rhys 5E 31
Penuel La. CF37: P'prdd 2E 47
Penuel St. CF47: M Tydfil 1D 12
PENYARD 5H 5
Penyard Rd. CF44: Hirw 1D 8
CF47: M Tydfil 5G 5
Pen-y-Banc CF39: Porth 2B 44
Penybont Rd. CF35: P'coed 6A 54
Pen-y-Bryn CF37: Glyn 4F 41
Penybryn CF44: Peny 4H 9
CF47: M Tydfil 3H 5
Pen-y-Bryn SA13: Croes 2E 65
Penybryn Rd. CF45: M Ash 6F 25
Penybryn St. CF39: Gilf G 6C 42
CF44: A'dare 6D 10
Penybryn Ter. CF45: M Ash 5F 25
Penybryn Vw. CF47: M Tydfil 5H 5
Penybryn Vs. CF47: M Tydfil 3H 5
Pen y Coed Cae Rd.
CF37: Bed, P'cae 6B 50
CF38: Bed 6B 50
Pen-y-Darren Cl. CF37: P'prdd . . . 1E 47
Penydarren Gdns.
CF47: M Tydfil 5G 5
Penydarren Pk. CF47: M Tydfil 5G 5
Penydarren Rd. CF47: M Tydfil . . . 5G 5
Penydre CF39: Porth 3B 44
Pen-y-Dre CF47: M Tydfil 2E 5
Penyfan Vw. CF47: M Tydfil 2E 5
Pen-y-Fro CF44: C'dare 6A 10
Penygarreg Rd. CF39: T'fail 3E 49
PENYGAWSI 5H 57
PENYGRAIG 6F 37
Penygraig Ind. Est.
CF40: P'graig 5F 37
Penygraig Rd. CF40: P'graig 6F 37
Pen y Graig Ter. CF37: Y'bwl 6B 32
Penygran Ter. CF34: Maesteg 5D 66
Pen y Groes CF72: Groes F 2D 62
Pen-y-Groes Heol
CF46: T'lewis 5G 27
(off High St.)
Penylan Rd. CF37: P'prdd 3D 46
Pen y Mynydd CF32: L'nor 3A 70
Pen-y-Mynydd CF37: Glyn 3F 41
SA13: Croes 2F 65
Pen-y-Parc CF38: Bed 6B 50
Pen-yr-Eglwys
CF38: Chu V, Llan F 5F 51
PEN-YR-ENGLYN 4F 21
PENYRHEOL 1D 12
Pen-yr-Heol CF44: Peny 3H 9
Pen-y-Rhiw CF41: Ystrad 4B 30
Pen-yr-Ysgol
CF34: Maesteg 5B 66
PENYWAUN 3G 9
Penywaun CF38: E Isaf 2H 59
PEN-Y-WERN 2A 6
Pen-y-Wern SA13: Croes 2G 65
Penywrlod CF82: G'gaer 1H 35
Pergwm St. CF40: T'law 4H 37
Perrott Pl. CF46: T'harris 1B 34
Perrott St. CF46: T'harris 1B 34
Perthlwyd CF44: Peny 3G 9
Perthygleision Cres.
CF48: A'fan 1A 26
Perthyglesion Bri.
CF48: A'fan 1A 26
(off Station Hill)
Peterston Rd.
CF72: Groes F 3E 63
Philips Ter. CF47: M Tydfil 1C 12
Phillip Row CF44: C'bach 3H 15
Phillips Ter. CF37: P'prdd 6G 39
Phillip St. CF37: P'prdd 4D 46
CF44: A'dare 6E 11
CF45: M Ash 2D 24
Phyllis St. CF48: T'rhiw 1A 18
Picton Pl. CF34: Nantyff 1C 66
Picton St. CF34: Nantyff 1C 66
Picton Ter. *CF72: L'haran 4G 55*
(off Danygraig Rd.)
Pine Cl. CF47: M Tydfil 2F 5
Pine Ct. CF38: Llan F 2E 59
CF72: T Grn 4E 57
Pinecroft Av. CF44: C'bach 1F 15
Pines, The CF44: Hirw 2F 9
Pine St. CF43: Fern 6H 23
Pine Tree Way CF46: Nels 5F 35
Pine Wlk. Dr. CF39: Porth 1E 45
Pinewood Av. CF37: R'fln 2H 53
Pinewood Dr. CF40: T'law 4G 37
Pinewood Hill CF72: T Grn 5E 57
Pinewood Vw. CF37: Glyn 3E 41
Pit Pl. CF44: C'bach 3G 15
Pit Row CF44: C'man 5B 14
Pit St. CF34: Maesteg 6E 67
Plane Gro. CF47: M Tydfil 2F 5
Plane St. CF37: R'fln 2G 53
Plantation Cl. CF47: M Tydfil 4G 5
Plantation Gdns.
CF45: A'non 4F 33
Plantation Rd. CF45: A'non 5F 33
Plantation Sq. CF48: T'rhiw 2H 17
Plantation Ter. CF48: A'fan 4A 18
Plas Carmel CF37: P'prdd 2D 46
Plas Dafydd *CF44: A'dare 6C 10*
(off Mt. Pleasant St.)
Plas Derwen CF48: T'rhiw 1H 17
Plasdraw Av. CF44: A'dare 1D 14
Plasdraw Pl. CF44: A'dare 1D 14
Plasdraw Rd. CF44: A'dare 1D 14
Plasmarl CF44: L'coed 3B 10
Plasnewood St.
CF34: Maesteg 4C 66
Plas-y-Fedwen CF37: Glyn 3F 41
Plas yr Eglwys *CF37: P'prdd 1F 47*
(off Dorothy St.)
Plas-yr-Odyn CF72: L'harry 3B 60
Pleasant Gro. CF44: C'bach 2H 15
Pleasant Hgts. CF39: Porth 4C 38
Pleasant Hill CF43: Fern 1E 31
Pleasant Rd. CF40: P'graig 6F 37
Pleasant St. CF41: Pentre 3F 29
Pleasant Ter. CF40: T'pandy 2B 36
CF41: Ystrad 4B 30
(off Arthur St.)
Pleasant Vw. CF34: Caerau 4D 64
CF37: P'prdd 1F 47
(Trallwng)
CF37: P'prdd 1G 45
(Trehafod)
CF37: Y'bwl 3A 32
CF38: Bed 1C 58
CF39: Ynys 1B 38
CF40: W'twn 3G 43
CF41: Pentre 3G 29
CF43: Tylor 5F 31
CF46: B'nog 3E 19
Pleasant Vw. CF46: T'harris 1A 34
CF48: A'fan 2A 26
CF48: T'rhiw 2A 18
(off Cardiff Rd.)
Pleasant Vw. Pk. CF44: Peny 5A 10
Pleasant Vw. St. CF44: A'man 5E 15
CF47: M Tydfil 5E 5
Plymouth Rd. CF37: P'prdd 2C 46
Plymouth St. CF47: M Tydfil 1C 12
Plymouth Ter. *CF47: M Tydfil 2C 12*
(off Railway Ter.)
Poets Cl. CF37: R'fln 1G 53
Pond Mawr CF34: Maesteg 6F 67
Pond Pl. CF44: C'bach 3H 15
Pond Row CF48: A'naid 4C 12
PONTCYNON 3F 33
Pontcynon Ind. Est.
CF45: A'non 2F 33
Pontcynon Ter. CF45: A'non 3F 33
(not continuous)
Pontmorlais W. CF47: M Tydfil 5F 5
Pont-Pentre Cvn. Pk.
CF37: Up Bo 2C 52
(off Crwys Cres.)
Pontrhondda Av.
CF40: L'nypia 5C 30
Pontrhondda Rd. CF40: L'nypia . . . 6D 30
PONT RHYD-Y-CYFF 3F 67
Pontsarn Rd. CF48: M Tydfil 1G 5
Pontshonnorton Rd.
CF37: C'fydd, P'prdd 6G 41
PONT SIÔN NORTON 6G 41
Pont-y-Capel Rd. CF48: Cefn C . . . 3C 4
PONTYCLUN 2F 61
Pontyclun Station (Rail) 2E 61
PONTYCYMER 4A 68
PONTYGWAITH 6G 31
PONTYPRIDD 3E 47
Pontypridd College
Pontypridd Campus 2G 53
PONTYPRIDD COTTAGE HOSPITAL
(Y BWTHYN) 2G 47
Pontypridd Cottage R.U.F.C.
(Sardis Rd. Ground) 3F 47
Pontypridd Cricket Club 3F 47
Pontypridd Mus. 2E 47
Pontypridd Rd. CF39: Porth 6D 38
Pontypridd Rugby Football Ground
. . . . 2D 46
Pontypridd Station (Rail) 3E 47
Poplar M. *CF48: T'rhiw 2A 18*
(off Poplar St.)
Poplar Pl. CF48: T'rhiw 2H 17
CF48: Tre'han 1D 4
Poplar Rd. CF37: R'fln 2G 53
Poplars, The CF45: M Ash 2E 25
CF72: L'harry 4A 60
Poplar St. CF48: T'rhiw 2H 17
Poplar Ter. *CF48: P'bach 5E 13*
(off Hamilton St.)
Poplar Way CF47: M Tydfil 2F 5
Porcher Av. CF37: Glyn 4E 41
PORTH 5D 38
Porth Station (Rail) 6D 38
Porth St. CF39: Porth 6D 38
Port Reeve Cl. CF72: L'sant 5H 57
Port Ter. CF34: Maesteg 4C 66
Post Office La.
CF47: M Tydfil 6F 5
Potters Fld. CF44: A'dare 5C 10
Powells Pl. *CF39: Porth 6D 38*
(off Porth St.)
CF40: T'pandy 3E 37
(off Berw Rd.)
Powell St. CF46: B'nog 4E 19
Powys Pl. CF37: R'fln 5H 47
Powys Rd. CF37: Up Bo 4D 52
Precinct, The CF38: Tont 4A 52
Prescelly Rd SA13: Croes 2F 65
Prescilla Ter. CF46: T'lewis 5G 27
Presteigne Av. CF38: Tont 3H 51
Prestoria Rd. CF39: T'fail 6B 44
Pretoria St. CF32: B'grw 1A 68
Price St. CF41: Pentre 2F 29
CF44: A'dare 2C 14
(off Griffith St.)
CF48: Cefn C 3C 4
PRICE TOWN 2H 69
Prichard St. CF39: T'fail 6A 44
Primrose Cl. CF46: Nels 3E 35
CF48: Pant 1A 6
Primrose Cotts. CF44: Hirw 1D 8
Primrose Ct. CF39: T'fail 5B 44
Primrose Hill *CF37: Y'bwl 2C 40*
(off Ffordd Gower Davies)
CF44: A'dare 5C 10
CF47: M Tydfil 1D 12
Primrose St. CF40: T'pandy 3E 37
Primrose Ter. CF39: Porth 6D 38
CF44: A'man 3E 15
PRINCE CHARLES HOSPITAL
(YSBYTY TWYSOG SIARL) . . . 2F 5
Princess Louise Rd.
CF40: L'nypia 1F 37
Princess St.
CF34: Maesteg 5D 66
CF37: T'rest 4F 47
CF41: Gelli 4A 30
CF43: Fern 5H 23
Prince's St. CF42: Treh 4E 21
CF42: Treo 1E 29
Priory Cl. CF37: P'prdd 6D 40
Priory Ter. CF34: Maesteg 4B 66
Pritchard St. CF46: T'harris 5F 27
Prospect Pl. CF32: Ogm V 6G 69
CF32: P'mer 3A 68
CF34: Pont R 3F 67
CF42: Treo 1D 28
CF43: Tylor 3G 31
CF44: C'man 5A 14
CF47: M Tydfil 5G 5
(off Gwynnes Cl.)
Prosser St. CF45: M Ash 4E 25
CF46: T'harris 1B 34
Protheroe St. CF34: Caerau 3C 64
CF43: Fern 2E 31
Pryce St. CF41: Ton P 4G 29
CF45: M Ash 2D 24
Pwllfa Rd. CF44: C'man 6A 14
PWLL-GWAUN 2D 46
Pwll-Gwaun Rd. CF37: P'prdd 2D 46
Pytchley Cl. CF72: C Inn 5A 58

Q

QED Cen., The CF37: Up Bo 4D 52
Quakers Vw. CF46: T'harris 1H 33
QUAKERS YARD 2B 34
Quakers Yard Station (Rail) 1H 33
Quarry Hill Cl. CF37: P'prdd 2C 46
Quarry La. CF15: N'grw 6G 53
Quarry Rd. CF37: P'prdd 2C 46
CF45: M Ash 2D 24
Quarry Row CF47: M Tydfil 5F 5
Quarry St. CF15: N'grw 5F 53
CF43: Tylor 3F 31
QUAR, THE 5F 5
Quay Row CF48: A'naid 4C 12
Queen Charlotte Dr.
CF15: Cre 3H 63
Queens Dr. CF38: Llan F 1F 59
Queen's Rd. CF47: M Tydfil 6G 5
Queens Ter. CF48: T'rhiw 3H 17
Queen St. CF32: B'grw 1A 68
CF34: Maesteg 4C 66
CF37: T'rest 4G 47
CF41: Pentre 3F 29
CF41: Ton P 4F 29
CF44: A'man 4E 15
CF44: C'dare 6A 10
CF48: Pant 1B 6
SA13: G'cwg 1A 64
Queensway CF15: N'grw 6G 53
Queens Rd. SA13: Croes 2E 65

R

Rachel St. CF44: A'dare 2C 14
Radnor Dr. CF38: Tont 3H 51
Radnor Way CF39: Porth 3B 44

Twynyrodyn Rd. CF47: M Tydfil ...1C 12
Ty Bruce Rd. CF44: Hirw ...1E 9
Ty Bryn Coed SA13: B'gnfi ...6G 65
  (off Margaret Ter.)
Ty Bryn Seion CF48: Dowl ...3A 6
Ty Crwyn CF38: Chu V ...5G 51
Ty Dawel CF39: T'fail ...6A 44
Ty Ddewi CF41: Ton P ...4G 29
Ty Derwen CF34: Nantyff ...6C 64
TYDFIL'S WELL ...4E 5
Tydfil Ter. CF47: M Tydfil ...1A 18
  (off Church St.)
  CF48: T'rhiw ...1A 18
Ty Draw CF38: Chu V ...4G 51
Ty-Draw Pl. CF44: A'dare ...1E 15
Ty-Draw Rd. CF44: A'dare ...1D 14
Tydu Rd. CF46: Nels ...6E 35
Tydvil Cl. CF47: T'lewis ...1E 35
Tyfica Cres. CF37: P'prdd ...2E 47
Tyfica Rd. CF37: P'prdd ...2D 46
Ty Fry CF44: A'dare ...2B 14
Ty Gwaunfarren CF47: M Tydfil ...1E 5
Tygwyn Rd. CF37: P'prdd ...2G 47
Ty-Gwyn Rd. CF44: A'dare ...4G 51
Tygwyn St. CF47: M Tydfil ...4H 5
Ty Heddlu CF42: Treh ...4E 21
Ty Isaf CF72: L'harry ...6B 60
Tyisaf Rd. CF41: Gelli ...5H 29
Tylacelyn Rd.
  CF40: P'graig, T'pandy ...4F 37
Tylacoch CF72: L'harry ...4A 60
Tylacoch Pl. CF42: Treo ...1C 28
Tylagarw Ct. CF72: P'clun ...1E 61
Tylagarw Ter. CF72: P'clun ...1D 60
Tyla Gwyn CF15: N'grw ...5F 53
Tylcha Fach Cl. CF39: T'fail ...3F 49
Tylcha Fach Est. CF39: T'fail ...3F 49
Tylcha Fach Ter. CF39: T'fail ...3F 49
Tylcha Ganol CF39: T'fail ...3E 49
Tylcha Isaf CF39: T'fail ...3F 49
Tylcha Wen Ter. CF39: T'fail ...2D 48
Tyle-Fforest CF42: Treh ...4E 21
Tyle Garw CF72: P'clun ...1D 60
Tyle'r Hendy CF72: P'clun ...2G 61
Ty Llwyd Parc CF46: T'harris ...2C 34
Tyllwyd St. CF47: M Tydfil ...4H 5
Ty Llwyd Ter. CF46: T'harris ...2C 34
TYLORSTOWN ...4G 31
Ty Mawr Parc CF37: P'prdd ...1B 46
Ty-Mawr Rd. CF37: P'prdd ...1B 46
Tymawr Ter. CF37: P'prdd ...1C 46
Ty Mawr Uchaf CF37: P'prdd ...1B 46
Tymeinwr Av. CF32: P'mer ...2A 68
Ty-Merchant CF35: P'coed ...6A 54
TYNANT ...6C 50
Tynant Rd. CF15: Cre ...3F 63
  CF38: Bed ...1C 58
TYNEWYDD ...3C 30
Tynewydd Row CF32: Ogm V ...5G 69
Tynewydd Sq. CF39: Porth ...5C 38
Tyntaldwyn Rd. CF48: T'rhiw ...2A 18
TYNTETOWN ...1D 32
Tyntyla Av. CF40: Ystrad ...5C 30
  CF41: Ystrad ...5C 30
Tyntyla Pk. CF40: L'nypia ...6D 30
Tyntyla Rd. CF40: L'nypia ...6D 30
  CF41: Ystrad ...5B 30
Tyntyla Ter. CF41: Ystrad ...4B 30
Tyn-y-Banwen Rd.
  CF46: T'harris ...1H 33
Tynybedw Cl. CF42: Treo ...1E 29
Tynybedw St. CF42: Treo ...1E 29
Tynybedw Ter. CF42: Treo ...1E 29
Tyn-y-Bettws Cl. CF32: L'nor ...6B 70
Tynybryn Rd. CF39: T'fail ...6H 43
Tynycai Pl. CF40: P'graig ...6F 37
Tyn-y-Coedcae CF42: Treh ...4E 21
Tyn-y-Coed Rd.
  CF15: Cre, P'rch ...5F 59
Tynycoed Ter. CF47: M Tydfil ...4H 5
  (off Lloyds Ter.)
Tynycymmer Cl. CF39: Porth ...6C 38
Tyn-y-Waun CF32: L'nor ...4B 70
Tynywaun CF41: Ystrad ...4B 30
Ty'n y Wern CF39: T'fail ...3E 49
Ty Pontrhun CF48: T'rhiw ...1H 17
Ty'Rfelin St. CF45: M Ash ...5E 25
Ty'r Person CF38: Chu V ...4G 51
Ty'r Waun CF15: N'grw ...5H 53
Ty Twyn CF38: Chu V ...4F 51
Tywith Cotts. CF34: Nantyff ...6C 64

U

Underhill Dr. CF38: Tont ...4A 52
Underwood Ter.
  CF37: P'prdd ...1C 46

Union Pl. CF43: Tylor ...3F 31
  CF37: M Tydfil ...6G 5
Union St. CF34: Nantyff ...2B 66
  CF37: P'prdd ...3E 47
  CF41: Gelli ...5H 29
  CF43: Fern ...1D 30
  CF44: A'dare ...5C 10
  CF45: M Ash ...2D 24
  CF47: M Tydfil ...6G 5
Union Ter. CF47: M Tydfil ...6G 5
  (off Union St.)
Unity St. CF44: A'dare ...2B 14
University of Glamorgan ...5F 47
Uplands CF41: Ystrad ...4H 29
Uplands Dr. CF34: Nantyff ...2B 66
Up. Adare St. CF32: P'mer ...2A 68
Up. Alma Pl. CF41: Pentre ...2F 29
Up. Alma Ter. CF37: T'rest ...3F 47
UPPER BOAT ...2D 52
Up. Boat Ind. Pk.
  CF37: Up Bo ...2C 52
Up. Canning St. CF41: Ton P ...4F 29
Up. Church St. CF37: P'prdd ...2E 47
UPPER CHURCH VILLAGE ...3G 51
Up. Colliers Row CF48: H'rrig ...6D 4
Up. Edward St. CF47: M Tydfil ...5F 5
Up. Elizabeth St. CF48: Dowl ...3A 6
Up. Fforest Level
  CF45: M Ash ...3E 25
Up. Gaynor Pl.
  CF39: Porth, Ynys ...4C 38
Up. Gertrude St. CF45: A'non ...5G 33
Up. High St. CF45: M Ash, B'nog ...4E 9
  CF48: Cefn C ...1B 4
Up. Mt. Pleasant
  CF38: T'rhiw ...2A 18
Up. Row CF48: Dowl ...2B 6
Up. St Alban's Rd. CF42: Treh ...2B 20
Upper St. CF34: Maesteg ...4B 66
Up. Taff St. CF42: Treh ...4D 20
Upper Ter. CF43: Tylor ...5G 31
Up. Thomas St.
  CF47: M Tydfil ...6G 5
Upper Union St. CF48: Dowl ...3B 6
Up. Vaughan St.
  CF37: P'prdd ...2D 46
Upton Pl. CF38: Bed ...1C 58
Upton St. CF39: Porth ...5C 38
  CF40: P'graig ...5E 37
  SA13: B'gnfi ...3H 5
Urban St. CF47: M Tydfil ...3H 5

V

Vale Gdns. CF37: P'prdd ...1D 46
Vale Vw. CF40: P'graig ...6G 37
  CF45: A'non ...3F 33
  (off Pontcynon Ter.)
  CF72: L'haran ...4F 55
Valeview Ter. CF32: N moel ...1G 69
Vale Vw. Ter. CF45: M Ash ...5E 25
Valley Vw. SA13: Croes ...2E 65
Valley Vw. St. CF41: Ystrad ...5E 15
Vaughan St. CF37: P'prdd ...2D 46
  CF38: Dowl ...3A 6
Vaughan Ter. CF45: M Ash ...6F 25
  CF48: Cefn C ...3C 4
Vaynor Cl. CF48: Cefn C ...2C 4
Vaynor Rd. CF48: Cefn C ...2C 4
Vaynor St. CF39: Porth ...5C 38
Vaynor Vs. CF47: M Tydfil ...5H 5
Vernon Cl. CF47: M Tydfil ...5H 5
Viburnum Ri. CF38: Llan F ...2E 59
Vicarage Cl. CF40: P'graig ...5G 37
  CF41: Ystrad ...4B 30
Vicarage Ct. CF38: Tont ...3H 51
Vicarage Rd. CF39: Porth ...4C 38
  CF40: P'graig ...5G 37
Vicarage Ter. CF34: Maesteg ...4B 66
  CF42: Treo ...2B 28
Victoria Sq. CF44: A'dare ...1C 14
Victoria St. CF32: P'mer ...2A 68
  CF34: Caerau ...4D 64
  CF39: Ynys ...1B 38
  CF41: Ton P ...4G 29
  CF41: Ystrad ...4B 30
  CF42: Treh ...3D 20
  CF45: M Ash ...3E 25
  CF46: T'harris ...1B 34
  CF47: M Tydfil ...6F 5
  CF48: Dowl ...2A 6
  CF48: M Vale ...6B 18
Victoria Ter. CF46: T'harris ...2B 34
Victor St. CF45: M Ash ...3C 24
Victory Av. CF39: Porth ...5C 38
Villas, The CF46: T'harris ...1H 33
Villiers Rd. SA13: B'gnfi ...5G 65
Vincent Pl. CF47: M Tydfil ...5F 5

Violet St. CF44: A'man ...3D 14
Vivian St. CF43: Tylor ...4F 31
Volunteer St. CF41: Pentre ...2F 29
Vulcan Rd. CF47: M Tydfil ...5F 5

W

Wakelin Cl. CF38: Chu V ...5G 51
Waker's Ter. CF48: P'bach ...5F 13
  (off Penlan St.)
Walk, The CF44: A'dare ...6F 11
  CF47: M Tydfil ...5F 5
Wallhead Rd.
  CF47: M Tydfil ...1D 12
Walnut Cl. CF72: P'clun ...1H 61
Walnut Way CF47: M Tydfil ...3G 5
Walsh St. CF45: M Ash ...1D 32
Walters Rd. CF37: P'prdd ...4D 46
Walter's Ter. CF47: M Tydfil ...1D 12
  CF48: A'fan ...1A 26
Walter St. CF43: Fern ...6A 68
  CF45: A'non ...5G 33
  CF48: Dowl ...3A 6
Warlow St. CF47: M Tydfil ...2C 12
Warren Cl. CF37: R'fln ...2G 53
Warren Ter. CF46: T'lewis ...1D 34
Waterloo Pl. CF44: A'dare ...5D 10
Waterloo St. CF44: C'bach ...2H 15
WATTSTOWN ...1B 38
Waun Av. SA13: G'cwg ...2A 64
Waunbant Ct. CF48: M Tydfil ...4A 4
Waunbant Rd. CF48: M Tydfil ...4A 4
Waun Fach CF32: L'nor ...4B 70
Waun Fach Ter. CF32: N moel ...2H 69
Waun Goch Rd.
  CF32: N moel ...2H 69
Waungron CF32: L'nor ...4A 70
Waun Hir CF38: E Isaf ...2H 59
Waun Lwyd Ter. CF32: N moel ...2H 69
Waunrhydd Rd. CF39: T'fail ...6H 43
Waun Rd. CF40: T'pandy ...3D 36
Waun St. SA13: Aberg ...6G 65
Waun Wen CF39: Porth ...3B 44
Waun Wen Ter. CF32: N moel ...2H 69
Wayne St. CF37: P'prdd ...1G 45
  CF39: Porth ...5C 38
  CF44: A'dare ...6D 10
Weatheral St. CF44: A'dare ...1C 14
Webster St. CF46: T'harris ...6F 27
Wellfield CF38: Bed ...5C 50
Wellfield Ct. CF38: Chu V ...3G 51
Wellfield St. CF38: Bed ...5C 50
Wellingtina Cl.
  CF47: M Tydfil ...1F 5
Wellington St. CF44: A'dare ...5D 10
Well Pl. CF44: C'bach ...2F 15
  CF44: C'bach ...3F 15
  (Cwmbach Rd.)
  (Timothy Pl.)
Well St. CF45: A'non ...5F 33
  CF47: M Tydfil ...5F 5
  CF48: Cefn C ...3D 4
Wenallt Cl. CF44: A'dare ...1D 14
Wenallt Rd. CF44: A'dare ...6F 11
Wengraig Rd. CF40: T'law ...3F 37
Werfa CF44: A'dare ...5G 11
Werfa Cl. CF44: A'dare ...5H 11
Werfa La. CF44: A'dare ...5G 11
Wern Cres. CF46: Nels ...3E 35
Wern Isaf CF48: Dowl ...2B 6
Wern La. CF48: M Tydfil ...1A 12
Wern Rd. CF40: T'pandy ...4E 37
  CF48: Cefn C ...3C 4
Wern St. CF40: T'pandy ...2B 36
  CF48: Dowl ...2B 6
Wern Ter. SA13: Croes ...1F 65
Wern Vs. CF44: L'coed ...3C 10
Wesley Cl. CF48: Dowl ...3A 6
Wesley Pl. CF41: Pentre ...3G 29
  CF48: M Vale ...1B 26
Wesley St. CF34: Caerau ...4D 64
  CF45: A'non ...5F 33
Westbourne Pl. CF47: M Tydfil ...2C 12
  CF48: T'rhiw ...2H 17
  (off Glantaff Rd.)
Westbourne Ter.
  CF72: B'cae ...5E 55
Western St. CF37: P'prdd ...1H 45
Western Ter. SA13: B'gnfi ...6G 65
Westfield Cl. CF72: L'sant ...5A 58
Westfield Rd. CF37: Glyn ...4E 41
West Gro. CF47: M Tydfil ...4F 5
West Mt. CF47: M Tydfil ...5F 5
W. Mound Cres. CF38: Tont ...4A 52
Weston Ter. CF39: Ynys ...2C 38
  CF40: W'twn ...2H 43
  CF42: Treo ...3B 28
West Rhondda CF32: Pont-y-r ...1C 70

West St. CF34: Maesteg ...5C 66
  CF37: P'prdd ...2F 47
  CF45: A'non ...4G 33
W. Taff St. CF39: Porth ...6D 38
West Vw. CF32: L'nor ...5A 70
West Vw. Cres. CF46: T'lewis ...1D 34
Westwood Dr. CF46: T'harris ...1A 34
Wheatley Pl. CF47: M Tydfil ...1D 12
Wheatsheaf La. CF47: M Tydfil ...6F 5
Whitcombe St. CF44: A'dare ...1C 14
Whitebeam Cl. CF47: M Tydfil ...1F 5
Whitefield St. CF41: Ton P ...4F 29
Whitehorn Av. CF37: P'prdd ...1D 46
Whiterock Cl. CF37: P'prdd ...1D 46
Whiterock Dr. CF37: P'prdd ...1D 46
Whiterock Pl. CF37: P'prdd ...1D 46
White St. CF48: Dowl ...2A 6
Whitting St. CF39: Ynys ...4C 38
Willaim Trigg CF32: B'grw ...1A 68
Williams Pl. CF37: Up Bo ...2C 52
  (not continuous)
  CF39: Porth ...5C 38
  CF47: M Tydfil ...4H 5
Williams St. CF40: L'nypia ...1F 37
Williams Ter. CF46: T'harris ...6F 27
  CF47: M Tydfil ...1D 12
  (off Gilfach-Cynon)
WILLIAMSTOWN
  CF40 ...1G 43
  CF47 ...5E 5
William St. CF32: P'mer ...3A 68
  CF37: C'fydd ...4H 41
  CF39: Ynys ...3D 38
  CF41: Ystrad ...4A 30
  CF42: Treh ...3D 20
  CF44: A'boi ...6G 15
  CF45: A'non ...5G 33
  CF47: M Tydfil ...5F 5
  (Brecon Rd.)
  CF47: M Tydfil ...1C 12
  (Twynyrodyn Rd.)
  CF72: B'nna ...5C 54
Willow Cl. CF38: Bed ...2B 58
Willowford CF37: Up Bo ...5E 53
Willowford Rd. CF38: Up Bo ...3D 52
WILLOWFORD, THE ...4E 53
Willowford, The CF37: Up Bo ...5E 53
Willow Gro. CF44: A'dare ...1A 14
Willow Rd. CF47: M Tydfil ...2F 5
  CF72: L'harry ...4A 60
Willow St. CF37: R'fln ...2G 53
Willow Ter. CF45: M Ash ...5F 25
Wilson Cl. CF47: M Tydfil ...1B 12
  (off Caedraw Rd.)
Wilson Pl. CF43: Maer ...4C 22
Wimborne St. CF48: Dowl ...2A 6
WINCHFAWR ...6A 4
Winch Fawr Pl. CF48: H'rrig ...6B 4
Winch Fawr Rd.
  CF48: H'rrig, M Tydfil ...4A 4
Windermere Cl. CF44: C'bach ...2F 15
Windsor Cl. CF37: Y'bwl ...6B 32
  CF72: P'clun ...2H 61
Windsor Dr. CF72: P'clun ...2H 61
Windsor Gdns. CF38: Bed ...5C 50
Windsor Pl. CF37: Y'bwl ...6B 32
  CF41: Pentre ...2F 29
  CF46: T'harris ...1B 34
  CF47: M Tydfil ...5F 5
  CF48: M Vale ...6B 18
  (off Alberta Rd.)
  CF48: Pant ...1B 6
Windsor Rd. CF37: T'rest ...4G 47
  CF45: M Ash ...4D 24
  CF46: T'harris ...1H 33
Windsor Ter. CF41: Pentre ...2F 29
  CF42: Treo ...3D 20
  CF42: Treo ...1C 28
  CF44: A'dare ...5C 10
  CF46: T'harris ...1H 33
Windsor Ter. CF44: A'dare ...6G 11
  CF47: M Tydfil ...1C 12
Wind St. CF39: Ynys ...3C 38
  CF43: Fern ...6H 23
  CF44: A'dare ...2C 14
Wingfield Av. CF38: Bed ...6B 50
Wingfield Ct. CF37: P'prdd ...2G 47
Wingfield Ri. CF46: T'harris ...2B 34
Wingfield St. CF48: A'fan ...6A 18
Wingfield Ter. CF46: T'harris ...2B 34
Winifred St. CF45: M Ash ...5F 25
  CF48: Dowl ...2A 6
Winslade Av. CF39: T'fail ...5A 44
Witherdene Rd. CF43: Tylor ...5G 31
Wood Cl. CF39: Gilf G ...6B 42
Woodfield Rd. CF72: T Grn ...5E 57
Woodfield St. CF72: B'cae ...5E 55
Woodfield Ter. CF37: P'prdd ...1G 45
  CF39: Porth ...5C 38
  CF45: M Ash ...5E 25